日々の名作音読で人生の深みを知る

元フジテレビ
アナウンサー
寺田理恵子
Terada Rieko

さくら舎

はじめに

人生100年時代。これからの人生を豊かに生きるために、身体の健康も、心の栄養も大切です。

音読は、声を出すことで呼吸筋を鍛え、呼吸がよくなります。腹式呼吸で自律神経の働きをよくし、ストレスの解消になります。そして文字を読み音声に変換するという、インプットとアウトプットを同時に行うことで脳が活発に働きます。さらには声帯が鍛えられ声もよくなります。口を動かすことで、表情筋が鍛えられ、表情が豊かになります。

そういった身体にいいことに加え、いい作品を読むことで、知識を増やし、教養を深めることができます。まさに、豊かに生きるためにいいことずくめです。

私の朗読教室には、80代の方が増えてきました。そのうちのお一人が拙著『四季を感じる毎朝音読』をお読みくださり、「この年齢になっても、まだまだ知らない作品がたくさんあって、楽しく学べることをとてもありがたく思っています」と感想をくださいました。

その言葉を聞いたとき、私は心から嬉しく思いました。なぜなら声を出すことを楽しんでいただきたいのはもちろん、作品の内容も読者の皆様に興味深く読んでいただきたいと、時間をかけて選んだ作品群だったからです。

本の世界は無限です。本を読むことで、自分では経験しなかったことを疑似体験できたり、いままで知らなかった世界に触れたりすることができます。そこに興味や関心、共感、考察などが生まれ、感性が磨《みが》かれ、自分の世界も広がります。

そして本は、若いころ読んだものでも、年を経て人生経験を重ねてから読み直すと、若いときには読み取れなかった行間を読み取ることができたり、登場人物のセリフに作者の意図を見つけ出したり、若いときの感想とまったく違う感想を持ったりすることがあります。それが、本のおもしろさです。

そこで、今回も作品選びには、時間をかけました。古典文学から近代文学まで幅広い範囲で、「生きるヒント」となるものを多く選んでいます。歴史に名を残した作家たちが、どのような時代に、どのようなことを考えて生きてきたのか。作家が経験し、書き残した随筆の中に、人生を豊かに生きるための教えがあります。

古く平安時代の作品にも、現代の私たちの生活の中で共感できるものが多々あります。また、「物語」という創作の世界の中にも、生活のヒントが隠されています。

掲載している作品は、古典、漢詩、小説、随筆などあらゆる分野から、一部を抜粋して掲載しています。短編小説は、そのストーリーを楽しんでいただきたく全文掲載しているものもあります。そして、それぞれ作品のあとに、つれづれなるままによしなしごとを書いています。文学は芸術です。芸術の解釈や鑑賞のしかたは人それぞれです。私のエッセイは、私なりの解釈で書いています。専門に研究している方から見たら、間違っている解釈もあるかもしれませんが、そこのところはご了承ください。

基本的に底本に則して掲載していますが、音読のための本であることから、読みやすくするために、旧字旧かなは新字新かなに変更し、行替えなども適宜《てきぎ》行うなど、表記に変更を加えている個所があります。

また、ふりがなに関しては、底本にあるものは底本のままとしています。英語・ラテン語については、正確に読みがなをつけることができないので、省略させていただきました。

漢詩に関してはさまざまな表記の書物がありますが、音読がしやすいかな交じり表記の本を底本にしました。また、現代の観点では差別的な表現・語句が使われている作品もありますが、底本に則して原文のままとしています。当時の時代背景や作家の思想などを知っていただきたいためで、ご了承ください。登場する作家は、すべて敬称を省略させていただきました。

音読するにあたって

音読に際しては、作品を味わっていただき、次のことを意識して読んでください。

- **声に出して読むことを楽しむ**
- **口をよく動かして読む（発音を明瞭に）**
- **3メートル先に聞こえるような大きさの声で読む**

最初はなめらかに読めず、つかえることも多いことと思います。特に古典は、現在使われていない言葉であり、文法も異なるため、意味がよくわからずたいへん読みづらいと思います。

でも、ここで大事なことは、

- **なめらかに読めなくてもあきらめない**
- **意味を理解しようとしながら読む**

最初に読んだときよりも、2回目はつかえる回数が減ります。練習すれば、さらに読み間違える回数は減り、なめらかに読めるようになっていくのが実感できます。そこでぜひ達成感を味わってください。そうなると、音読が楽しくなってきます。

読みづらいのは、言葉や文章の意味がわからないからという理由もあります。古典は、意味がわからなくてもまずそのまま音読し、そのあと私の解説を読み、もう一度古典文を読み直してみてください。

頭の中で内容を理解すると、少し読みやすくなることに気づくでしょう。一つ一つの言葉の意味は記載していませんが、わからなくても読んでいるうちになんとなく、わかってくるものがあります。古典文を口にすると、その時代に戻ったような、たおやかな気持ちになるのも不思議です。

一作品の音読量に差があります。短いものはそのままお読みいただき、長いものは分けて読んでいただいてもかまいません。

長い作品の場合は、次のことを意識してみてください。

- **最後まで声の大きさを変えずに読む**
- **集中して読む**

このように読むことで、声量がアップし、集中力が養われます。

本書をより十分に活用していただくために、

・本に書きこむ

・本で得た知識や感想を誰かに伝える（アウトプット）

この2つをおすすめします。

書きこむというのは、音読しやすくするために印をつけたり、いいなと思った言葉や、共感した文章に線をひいたり、ノートにメモしたりします。そして、それを誰かに伝えるということで、アウトプットをします。

アウトプットは、書いてあることを自分なりに解釈し、咀嚼《そしゃく》し、自分の言葉で相手に伝える作業になります。脳トレとしてはとても効果のある方法です。ぜひ本書を読んで、おもしろいと思ったこと、共感したこと、考えたことなどを誰かに話してみてください。

それでは、一緒に音読で名作を旅しましょう！

◎目次

第2章　花香る

第3章　立ちどまるとき

第4章　人生の四季

日々の名作音読で人生の深みを知る

第1章　生まれゆくものへ

小《ちい》さき者《もの》へ

有島武郎《ありしまたけお》

お前たちが大きくなって、一人前《いちにんまえ》の人間に育ち上《あが》った時、――その時までお前たちのパパは生きているかいないか、それは分《わか》らない事《こと》だが――父の書き残したものを繰拡《くりひろ》げて見る機会があるだろうと思う。その時この小さな書き物もお前たちの眼《め》の前に現われ出るだろう。時《とき》はどんどん移って行く。お前たちの父なる私がその時お前たちにどう映《うつ》るか、それは想像も出来ない事だ。恐《おそ》らく私が今ここで、過ぎ去ろうとする時代を嗤《わら》い憐《あわ》れんでいるように、お前たちも私の古臭《ふるくさ》い心持《こころもち》を嗤い憐れむのかも知れない。私はお前たちの為《た》めにそうあらんことを祈っている。お前たちは遠慮《えんりょ》なく私を踏台《ふみだい》にして、高い遠い所に私を乗り越えて進まなければ間違っているのだ。然《しか》しながらお前たちをどんなに深く愛したものがこの世にいるか、或《あるい》はいたかという事実は、永久にお前たちに必要なものだと私は思うのだ。

お前たちがこの書き物を読んで、私の思想の未熟で頑固《がんこ》なのを嗤う間にも、私たちの愛はお前たちを暖め、慰め、励まし、人生の可能性をお前たちの心に味覚させずにおかないと私は思っている。だからこの書き物を私はお前たちにあてて書く。

（中略）

十分《じゅうぶん》人世は淋《さび》しい。私たちは唯《ただ》そういって澄《す》ましている事が出来るだろうか。お前達と私とは、血を味《あじわ》った獣《けもの》のように、愛を味った。行こう、そして出来るだけ私たちの周囲を淋しさから救うために働こう。

私はお前たちを愛した。そして永遠に愛する。それはお前たちから親としての報酬《ほうしゅう》を受けるためにいうのではない。お前たちを愛する事を教えてくれたお前たちに私の要求するものは、ただ私の感謝を受取《うけと》って貰《もら》いたいという事だけだ。お前たちが一人前に育ち上った時、私は死んでいるかも知れない。一生懸命に働いているかも知れない。老衰《ろうすい》して物の役に立たないようになっているかも知れない。然《しか》し何《いず》れの場合にしろ、お前たちの助けなければならないものは私ではない。お前たちの若々しい力は既《すで》に下《くだ》り坂に向《むか》おうとする私などに煩《わずら》わされていてはならない。斃《たお》れた親を喰《く》い尽《つく》して力を貯《たくわ》える獅子《しし》の子のように、力強く勇ましく私を振り捨てて人生に乗り出して行くがいい。

（中略）

小さき者よ。不幸なそして同時に幸福なお前たちの父と母との祝福を胸にしめて人の世の旅に登れ。前途は遠い。そして暗い。然し恐れてはならぬ。恐れない者の前に道は開ける。
行け。勇《いさ》んで。小さき者よ。

（出典：『小さき者へ・生れ出づる悩み』新潮文庫）

●子どもへの愛情ノート

『小さき者へ』は、有島武郎の短編小説ですが、妻安子を結核で亡くした有島武郎が、母を失った三人の幼い子どもたちに向けて書き残した手記ともいわれています。

妻を亡くした一年後に子どもたちに向けて書かれたもので、妻が亡くなったとき子どもたちは六歳と五歳と四歳でした。その子どもたちが生まれるときのことや妻が病気になったときのことが綴《つづ》られています。

母親を失った子どもたちに「お前たちは不幸だ。恢復《かいふく》の途《みち》なく不幸だ。不幸なものたちよ」と書いていますが、最後には、「不幸なそして同時に幸福なお前たち」としています。子どもたちを勇気づけ、これから先の希望を見出して前に進んでほしいという著者の願いが込められています。

子に対する親の思いがあふれ出している作品です。妻を亡くしほとばしる感情が、作家の気持ちを駆り立てたのでしょう。このあと、有島は本格的に作家活動をはじめ、『カインの末裔《まつえい》』『生れ出づる悩み』『或る女』を次々に発表しました。

妻であり、幼い子どもたちの母親を失ったときの悲しみ、そして子どもたちからはねかえって沸《わ》き起こる感情をこんな言葉で表しています。

「何しろお前たちは見るに痛ましい人生の芽生《めば》えだ。泣くにつけ、笑うにつけ、面白がるにつけ淋しがるにつけ、お前たちを見守る父の心は痛ましく傷つく。然しこの悲しみがお前たちと私とにどれ程の強みであるかをお前たちはまだ知るまい。」

悲しみから這い上がろうとする気持ち、子どもたちに希望を見出そうとする思いが、随所に表れています。

私は、次女が小学五年生のときに夫を亡くしました。あまりにも突然の別れでした。夫を失った深い悲しみと同時に襲ってきたのは、この先の不安でした。しかし、悲しみの渦《うず》の中でとどまっていてはいけない、この子を渦に巻きこんではいけないと、必死の思いでした。そのとき、父親を亡くした子どもの気持ちを思うと、不憫《ふびん》だと思う気持ちがあったことは確かです。子どもたちにこのことを話すと、「不幸と思われるほうが不幸だ。父親のいない私たちが一番いやなことは憐れまれることだ」と言われ、目から鱗《うろこ》でした。

有島武郎も子どもたちを「不幸だ」と言っています。深い悲しみから希望を見出して、子どもに自分の思いを伝えている手記は、子どもに対する魂の叫びのようなものを感じます。

手記といえば、人生の終《しま》い支度《じたく》として、遺《のこ》された人へ書き残すのもいいことです。最近では、葬儀で故人の書き残したものを読むということもあります。遺された人の悲しみや後悔の気持ちを少なくするための手記は、遺族への愛情です。自分はどのような思いで生きてきたか、どのように見送ってほしいか、自分が亡くなったあと遺された人にどう生きてほしいかなど、故人の思いがわかったら遺された人はどれだけ救われることかわかりません。

私は亡くなった家族のことを考えるとき、もっと何かしてあげられたのではないかという後悔と、どんな気持ちでこの世を去ったのだろうという憐情《れんじょう》でつらくなることがあります。私は娘たちにそういう思いをさせたくない。亡くなったあと、「ママは天国で笑っている」と考えられるようにしてあげたい。だからこそ、私はエンディングノートならぬ娘たちへの「愛情ノート」を書き残しておきたいと思っています。

科学者《かがくしゃ》とあたま

寺田寅彦《てらだとらひこ》

いわゆる頭のいい人は、言わば足の早い旅人のようなものである。人より先に人のまだ行かない所へ行き着くこともできる代わりに、途中の道ばたあるいはちょっとしたわき道にある肝心なものを見落とす恐れがある。頭の悪い人足ののろい人がずっとあとからおくれて来てわけもなくそのだいじな宝物を拾って行く場合がある。

頭のいい人は、言わば富士のすそ野まで来て、そこから頂上をながめただけで、それで富士の全体をのみ込んで東京へ引き返すという心配がある。富士はやはり登ってみなければわからない。

頭のいい人は見通しがきくだけに、あらゆる道筋《みちすじ》の前途《ぜんと》の難関が見渡される。少なくも自分でそういう気がする。そのためにややもすると前進する勇気を阻喪《そそう》しやすい。頭の悪い人は前途に霧がかかっているためにかえって楽観的である。そうして難関に出会っても存外《ぞんがい》どうにかしてそれを切り抜けて行く。どうにも抜けられない難関というのはきわめてまれだからである。

（中略）

頭のよい人は、あまりに多く頭の力を過信する恐れがある。その結果として、自然がわれわれに表示する現象が自分の頭で考えたことと一致しない場合に、「自然のほうが間違っている」かのように考える恐れがある。まさかそれほどでなくても、そういったような傾向になる恐れがある。これでは自然科学は自然の科学でなくなる。一方でまた自分の思ったような結果が出たときに、それが実は思ったとは別の原因のために生じた偶然の結果でありはしないかという可能性を吟味《ぎんみ》するというだいじな仕事を忘れる恐れがある。

頭の悪い人は、頭のいい人が考えて、はじめからだめにきまっているような試《こころ》みを、一生懸命につづけている。やっと、それがだめとわかるころには、しかしたいてい何かしらだめでない他のものの糸口を取り上げている。そうしてそれは、そのはじめからだめな試みをあえてしなかった人には決して手に触れる機会のないような糸口である場合も少なくない。自然は書卓《しょたく》の前で手をつかねて空中に絵を描いている人からは逃げ出して、自然のまん中へ赤裸《あかはだか》で飛び込んで来る人にのみその神秘の扉《とびら》を開いて見せるからである。

（中略）

頭のいい人には他人の仕事のあらが目につきやすい。その結果として自然に他人のする事が愚《おろ》かに見え従《したが》って自分がだれよりも賢いというような錯覚《さっかく》に陥《おちい》りやすい。そうなると自然の結果として自分の向上心にゆるみが出て、やがてその人の進歩が止まってしまう。頭の悪い人には他人の仕事がたいていみんな立派に見えると同時にまたえらい人の仕事でも自分にもできそうな気がするのでおのずから自分の向上心を刺激されるということもあるのである。

（中略）

頭のいい学者はまた、何か思いついた仕事があった場合にでも、その仕事が結果の価値という点から見るとせっかく骨を折っても結局たいした重要なものになりそうもないという見込みをつけて着手しないで終わる場合が多い。しかし頭の悪い学者はそんな見込みが立たないために、人からはきわめてつまらないと思われる事でもなんでもがむしゃらに仕事に取りついてわき目もふらずに進行して行く。そうしているうちに、初めには予期しなかったような重大な結果にぶつかる機会も決して少なくはない。この場合にも頭のいい人は人間の頭の力を買いかぶって天然の無際限《むさいげん》な奥行きを忘却《ぼうきゃく》するのである。科学的研究の結果の価値はそれが現われるまではたいていだれにもわからない。また、結果が出た時にはだれも認めなかった価値が十年百年の後《のち》に初めて認められることも珍《めずら》しくはない。

（出典『寺田寅彦随筆集　第四巻 改版』小宮豊隆編　岩波文庫）

●頭は悪くてもいい

物理学者であり、随筆家でもある寺田寅彦が、頭のよい人と頭の悪い人を書いた「科学者とあたま」の一部抜粋です。

さて、これを読み終わったあと、どんな印象を受けましたか。不快に思った方と、満足げに微笑んだ方といらっしゃると思います。ここに書かれていることは、科学者でなくても多くの人に通じることなのではないでしょうか。

かつては、受験競争で点数を取るための勉強が求められていました。いかに効率的に答えを導くことができるか、いかに要領よく要点を暗記できるかを競い、実験の過程を楽しむより、結果を知る勉強でした。頭のいい人は先にゴールにたどり着くことはできても、その間に何があったかよく見ていないし、価値のないものには目もくれようとしない。常に、ゴールに向けていかに要領よく到達するかを考えるようになります。当時は学歴社会であり、偏差値の高い大学に入れれば、それは人生の勝者でありました。

現代では、トップに立つ優秀な人というと、思考力・記憶力が優《すぐ》れていることに加えて、人間力、コミュニケーション能力を持ち、自分の頭のよさを自慢することなく、そして出し惜しみすることなく、社会や周りの人に生かしている人たちです。そして、ここでいう頭の悪い人の優れているところをきちんと見抜き、その力をうまく生かすことのできる人物です。

頭脳のよさでいったら、今の時代、ＡＩにかなう人間はいないでしょう。これからは、いかにＩＴを活用できるかということで、頭のよさを競うことになるでしょう。ＩＴをいかに社会に役立たせることができるか、そのアイデアや発想を持つ人、それを活かせる環境をつくれる人などが社会で求められていくことと思われます。

「頭の悪い人には他人の仕事がたいていみんな立派に見えると同時にまたえらい人の仕事でも自分にもできそうな気がするのでおのずから自分の向上心を刺激されるということもあるのである」とありますが、これはわが身をふり返ってみて、大きくうなずけます。

「素晴らしいな」「すごいな」と思った人物にあこがれ、そういう人たちを目標にしていたら、生きる希望が持てます。はじめからだめにきまっていると言われているような試みにも挑戦してもいいのではないでしょうか。1%でも可能性があるなら、悔いのないよう挑戦したら、結果だめだったとしても、潔くあきらめがつきます。

最後は「頭が悪いと同時に頭がよくなくてはならない」と締めくくられているエッセイですが、自分は頭が悪いと思ったら、周りの頭がよい人の知恵や力を借りればいいのです。自分は頭がよいと思ったら、それにおごることなく頭のよさを生かして、周りの人の視点や感性を生かすことをすればいいのです。

還暦を過ぎたこれからは、いかに要領よく早くゴールに到達するかではありません。頭が悪くて大いに結構。今できることはできるうちに行動し、年齢を理由にあきらめることなく、人生を楽しみたいと思います。

おせっかい夫人《ふじん》　岡本《おかもと》かの子《こ》

　午前十一時半から十二時ちょっと過ぎまでの出来事です。うららと晴れた春の日の暖気《だんき》に誘われて花子夫人は三時間も前に主人を送り出した門前《もんぜん》へまたも出て見ました。糸目《いとめ》の艶《つや》をはっきりたてた手際《てぎわ》の好《よ》い刺繍《しゅう》です。そこに隣家国枝《りんかくにえだ》さんとの境《さかい》の垣《かき》に金紅色《きんこうしょく》の蕾《つぼみ》を寄り合わせ盛《も》り合わせているぼけの枝は――だが、その蔭《かげ》にうろうろしていたのは可《か》愛《わ》ゆいカナリヤの雛《ひな》ではありませんでした。黒っぽくぼやけた四十男《しじゅうおとこ》でした。

「私、国枝の親類の者ですが、至急旅に立ちますのに必要なものをこの家に預《あず》けて置いたのですが留守で困っております」

　若くて気の好い、そしてかなりおせっかいな花子夫人が、国枝さん一家が今朝から中野の知人へ出かけたことを知っていたのですからたまりません。国枝さんの嫁さんと姑《しゅうとめ》さんが出かける時、厳重に鍵《かぎ》を利《き》かせて置いた戸締りの何処《どこ》かにすきがあるかと隣家の戸口という戸口を四十男とたたいて歩き廻《まわ》りました。がだめでした。

「お気の毒ですわね、横浜の国枝さんのお姑さんのお家《うち》の方《かた》でもおありでしょうにね」

「ええ私はその横浜の国枝さんの姑の家の者なのですが」

花子夫人の口まねを四十男がすればするほど、花子夫人は男を信用し気の毒がりました。

花子夫人は黄《き》いろい声になり大げさに梯子《はしご》の必要を前の家の左官《さかん》のおかみさんに説き、中位《ちゅうくらい》なのを一つ借りて来て男に手伝わせ国枝さんの湯殿《ゆどの》の上部《じょうぶ》の硝子《ガラス》窓に届かせ、少し腰弱《こしよわ》そうな男のために梯子の下部《かぶ》まで押《おさ》えてやり、硝子戸をうまくこじ開《あ》けさせて、男を家の中にいれてやりました。

三十分ばかり後《のち》、男は国枝さんの表《おもて》玄関を内側からあけ、可成《かなり》な重《おも》味《み》の見える風呂敷包《ふろしきづつ》みを持って現われました。男はあれほど世話になった花子夫人の玄関へ御礼の言葉一つい掛《か》けるでもなく、それこそ不敵《ふてき》な面構《つらがま》えをして、さっさと歩き去りました。男は東京の山の手を荒していた空巣ねらいでした。

（出典：『岡本かの子全集2』ちくま文庫）

●親切とおせっかいの境界線

花子さんは、育ちがよくて、人を疑うことなどないのでしょう。親切でいい人なのですが、そういう人に限って、自分が相手に迷惑をかけていることに気づかず、自分はいいことをしたと思っていることが多いものです。

たとえば、知り合いの住所や電話番号を聞かれて、本人に確認せずに勝手に教えてしまう人。スマホの操作がわからない人を助けるつもりで、勝手に他人のスマホの操作をしてしまう人。この花子さんのように他人に損害をあたえてしまったら大ごとです。

現代では、家族思いのやさしさにつけこんだ特殊詐欺が増えて問題になっています。息子が会社のお金をなくした、夫が痴漢行為で訴えられたと聞けば、平常心ではいられなくなるのが普通でしょう。この「おせっかい夫人」に出てくる空き巣のように、家の人を装って困っている風にみせかけて話しかけるところは、現代の詐欺師と同じやり口です。

困っている人を放っておけない「いい人」ほど騙《だま》されやすいものです。「おせっかい夫人」を読んで笑っている親切なあなた、悪い人にはくれぐれもお気をつけくださいね。

ところで、「おせっかい」という言葉で気になっていることがあります。

高齢者や障害を持った方を見ると、お手伝いしたいと思う気持ちはとてもいいことです。しかし、それが行き過ぎておせっかいになってはいけません。

新聞に出ていた投稿記事で「親切がつらい」というものがありました。車いすで生活する高校生が言った言葉だそうです。半身不随の彼は、コップに手を伸ばすと危ないからと半ば強引にコップを取り上げてお茶を飲ませてくれる人がいたり、手伝いを断ったら相手が不機嫌になったりという体験を語り、何もできない赤ん坊のように思われているようでつらいのだと打ち明けたそうです。親切心も、相手を傷つけることがあるのです。本当の親切をするには、本当に相手のことを考えることが必要だとあらためて考えさせられました。

高齢者に「過保護」も考えものです。年を重ねると、若いときは平気でできていたことも、体力・筋力の低下でできなくなることが増えてきます。認知症の方も同じです。年を取ってきたら、今できることを明日もできるように続けることが大切です。できることは、自分でするほうが本人のためです。できることを取り上げてしまったら、その方のためにならないのです。子育てに関しても同じこと。過保護にしては、子どもの成長を妨げることになります。

かえって迷惑になるような余計な世話をやくことを、おせっかいと言います。親切な良心からの行動でも、親切の押し売りはいけません。自己満足もいけません。親切とおせっかいの境界線をきちんと見分け、本当に相手の求めることに応じられる行動をとることが大切なのです。

創作家《そうさくか》の態度《たいど》　夏目漱石《なつめそうせき》

演題は「創作家の態度」と云《い》うのであります。態度と云うのは心の持ち方、物の観方《みかた》くらいに解釈しておいて下されば宜《よろ》しい。この、心の持ち方、物の観方で十人、十色《といろ》さまざまの世界ができまたさまざまの世界観が成り立つのは申すまでもない。

一例を上げて申すと、もし諸君が私に向《むか》って月の形はどんなだと聞かれれば、私はすぐに丸いと答える。諸君も定《さだ》めし御異存《ごいぞん》はなかろうと思う。ところがこの間ある西洋人の書いたものを見たら、我々は普通月を半円形のものと解《かい》しているとあったのみか、なぜまんまるなものと思っていぬかと云う訳《わけ》までが二三行つけ加えてあったんで、少し驚いたくらいであります。

我々は教育の結果、習慣の結果、ある眼識《がんしき》で外界《がいかい》を観《み》、ある態度で世《せ》相《そう》を眺《なが》め、そうしてそれが真の外界で、また真の世相と思っている。ところが何かの拍子《ひょうし》で全然種類の違った人――商人でも、政事家《せいじか》でもあるいは宗教家でも何でもよろしい。なるべく縁《えん》の遠い関係の薄い先生方に逢《あ》って、その人々の意見を聞いて見ると驚《おど》ろく事があります。それらの人の世界観に誤謬《ごびゅう》があるので驚くと云うよりも、世の中はこうも観られるものかと感心する方《ほう》の驚ろき方《かた》であります。

ちょうど前に述べた我々が月の恰好《かっこう》に対する考えの差と同じでありますこう云うと人間がばらばらになって、相互の心に統一がない、極《きわ》めて不安な心持《こころもち》になりますが、その代《かわ》り、誰がどう見ても変《かわ》らない立場において、申し合《あわ》せたように一致した態度に出る事もたくさんあるから、そう苦になるほどの混雑も起《おこ》らないのであります。（少なくとも実際上）ジェームスと云う人が吾人《ごじん》の意識するところの現象は皆撰択《せんたく》を経《へ》たものだと云う事を論じているうちに、こんな例を挙《あ》げています。——撰択の議論はとにかく、その例がここの説明にはもっとも適切だと思いますから、ちょっと借用して弁じます。

今ここに四角があるとする。するとこの四角を見る立場はいろいろである。横からも、竪《たて》からも、筋違《すじかい》からも、眼《め》の位置と、角度を少し変えれば千差万別に見る事ができる。そうしてそのたびたびに四角の恰好が違う。けれども我々が四角に対する考は申し合せたように一致している。あらゆる見方、あらゆる恰好のうちで、たった一つ。——すなわち吾人の視線が四角形の面に直角に落ちる時に映じた形を正当な四角形だと心得ている。

これを私の都合の好いように言い換えると、吾人は四角形を観る態度においてことごとく一致しているのであります。
（出典：『夏目漱石全集10』ちくま文庫）

●ものの見方は十人十色

　同じものを見ていても、その見え方は人それぞれです。ここに書かれているように、一つの月を世界中の人が見ることができますが、見る場所が違えば、満月だったり三日月だったり、見える形は異なります。また同じ満月を見ていたとしても、人の心のありようで、美しく見えたり、寂しく見えたりします。月は丸いものだと認識しているので、どんな形に見えようとも、「丸い」と考える人もいるでしょうし、月の満ち欠けを風流に楽しむ人もいます。

　ものの見え方は、見る方向によって異なります。その例を説明するときによく使われるのが、円筒形の缶です。缶ビールなどの円筒形の缶は、見る角度によって形が変わります。真上から見たら円、真横から見たら長四角、立体的に見たら円筒です。これは有形のものを見るときだけでなく、社会で起こっている事実に対しても、同じことが言えます。

　アナウンサーは、情報を伝えるときに、ものごとを一方向からのみ見て伝えてはいけません。あらゆる角度からものごとを見るということを教えられます。つまり、偏《かたよ》った見方をしないということです。そして、月が三日月に見えていても、本来丸いものに影ができて三日月に見えるというように、何か事件や事故があったときには、見えている部分だけではなく、見えていない部分の情報も伝えなければなりません。

人に関しても同じことが言えるでしょう。人は、第一印象で相手の性格を決めがちですが、表面には見えないものがたくさん隠れています。しかしそれを、自分の受けた印象だけでその人にラベルを貼ってしまいがちです。でも、その人と深く知り合うことで、表面に見えなかったその人の本質が見えてきます。ラベルほどものを歪《ゆが》んで見せるものはありません。

見え方が人によって異なるのは、その人の主観が入るからです。同じ人が同じものを見ても、そのときの心持ちで見え方が異なります。あるときにはとても興味をひかれたものでも、次に見たときには色あせて見えたりすることがあります。

また、自分には「赤」に見えるものでも、人によっては「紅色」や「朱色」に見えることがあります。そのように、自分の主観を絶対だと思わずに、ものの見え方が人によって異なるということを知っていれば、自分と意見の異なる人ともつきあいやすくなり、コミュニケーションもスムーズになります。

枕草子《まくらのそうし》　清少納言《せいしょうなごん》

第二十八段　にくきもの

いそぐ事あるをり《お》にきてながごとするまらう《ろ》ど。あなづりやすき人ならば、「後に」とてもやりつべけれど、さすがに心はづかしき人、いとにくくむつかし。すずりに髪《かみ》の入《い》りてすられたる。また、墨《すみ》の中に、石のきしきしときしみ鳴りたる。

（中略）

物うらやみし、身のうへ《え》なげき、人のうへ《え》いひ《い》、つゆちりのこともゆかしがり、きかまほしうして、いひ《い》しらせぬをば怨《えん》じ、そしり、また、わづかに聞きえたることをば、我もとよりしりたることのや《よ》うに、こと人にもかたりしらぶるもいとにくし。

（中略）

また、物語するに、さし出《い》でして我ひとりさいまくる者。すべてさしいでは、わらは《わ》もおとなもいとにくし。あからさまにきたる子ども・わらは《わ》べを、見《み》入《い》れらう《ろ》たがりて、を《お》かしきものとらせなどするに、ならひ《い》て常にきつつ、ゐ《い》入りて調度《ちょうど》うちちらしぬる、いとにくし。

（中略）

わがしる人にてある人の、はやう《よ》見し女のことほめいひ《い》出《い》でなどするも、程へ《え》たることなれど、なほ《お》にくし。まして、さしあたりたらんこそおもひ《い》やらるれ。されど、なかなかさしもあらぬなどもありかし。

第九十六段　かたはらいたきもの

よくも音《ね》弾《ひ》きとどめぬ琴《こと》を、よくも調《しら》べで、心のかぎり弾きたてたる。

客人《まろうど》などにあひ《い》てものいふ《う》に、奥《おく》の方《かた》にうちとけごとなどいふ《う》を、えは制《せい》せで聞《き》く心地《ここち》。思ふ《う》人のいたく酔ひ《い》て、おなじことしたる。

聞きゐ《い》たりけるを知《し》らで、人の上《うえ》いひ《い》たる。それは、なにばかりの人ならねど、つかふ《う》人などだにかたはらいたし。旅だちたる所にて、下衆《げす》どもざれゐ《い》たる。にくげなるちごを、おのが心地のかなしきままに、うつくしみ、かなしがり、これが声のままに、いひ《い》たることなど語りたる。才《ざえ》ある人の前にて、才《ざえ》なき人の、ものおぼえ声に人の名《な》などいひ《い》たる。よしとも覚えぬ我が歌を、人に語りて、人のほめなどしたる由《よし》いふ《う》も、かたはらいたし。

第百五十二段　人ばへ《え》するもの

ことなることなき人の子の、さすがにかなしうしならは《わ》したる。しは《わ》ぶき。はづかしき人にものいは《わ》んとするに、先に立つ。

あなたこなたに住む人の子の四《よ》つ五《いつ》つなるは、あやにくだちて、ものとり散《ち》らしそこなふ《う》を、ひきはられ制《せい》せられて、心のままにもえあらぬが、親の来《き》たるに所得《ところえ》て、「あれ見《み》せよ、やや、はは」などひきゆるがすに、大人《おとな》どものいふ《う》とて、ふとも聞き入《い》れねば、手《て》づからひきさがし出《い》でて見さわぐこそ、いとにくけれ。それを、「まな」ともとり隠《かく》さで、「させそ」「そこなふ《う》な」などばかり、うち笑《え》みていふ《う》こそ、親《おや》もにくけれ。我はた、えはしたな《の》うもいは《わ》で見るこそ心もとなけれ。

第二百七十段　人のうへ《え》いふ《う》を

腹立《はらだ》つ人こそいとわりなけれ。いかでかいは《わ》ではあらん。わが身をばさしおきて、さばかりもどかしくいは《わ》まほしきものやはある。

されど、けしからぬやう《よ》にもあり、また、おのづから聞きつけて、うらみもぞする、あいなし。また、思ひ《い》はなつまじきあたりは、いとほ《お》しなど思ひ《い》解《と》けば、念《ねん》じていは《わ》ぬをや。さだになくば、うちいで、わらひ《い》もしつべし。

（出典：『枕草子』池田亀鑑校訂　ワイド版岩波文庫）

●現代に通じる鋭い人間観察

『枕草子』は、平安時代に清少納言が執筆したとされる随筆集です。清少納言は、一条天皇《いちじょう》の中宮定子《ちゅうぐうていし》につかえていた少納言です。清少納言は一度結婚して男子を産み、再婚して娘を産んでいます。中宮定子が亡くなって、晩年は宮仕えを退き、その後は不明です。

この作品は、長短三百を超える章段があります（まとめ方によって章段が異なる）。内容から、大きく3つに分けることができます。「ものづくし」で、事例を列挙した章段、宮仕え中の作者の見聞を日記風に記した章段、「春はあけぼの」など自然・人事にわたる感想・評論の章段です。ここには、ものづくしから、皆さんも共感できそうなところを選びました。

第二十八段の「にくきもの」とは、いやな、気にくわないもののことです。

急いでいるときにやってきて、長話する客。これは、経験したことがある人が多いのではないでしょうか。「今急いでいるから」と断りやすい相手ならいいのですが、目上の人やお世話になっている人だと、むげに断ることができません。

何かというと人のことをうらやんで愚痴《ぐち》を言う人。人の噂が大好きで、ちょっと聞きかじったことを昔から知っていたことのように人に話すこと。人が話しているのに、横から口をいれてひとりでしゃべりまくる人を嫌だと言っていますが、今の世にもたしかにいます。こういう人には、大人のマナーを教えてあげたいものです。

恋人が、過去につきあっていた異性の話をするのは嫌だという気持ちもよくわかります。そのあとに、「過去の話をされても全然嫌にならないこともある」ということをつけ加えるところが、男女の機微をよく知っている清少納言らしいところです。

第九十六段の「かたはらいたきもの」とは、気恥ずかしく、見苦しいもののことです。

身内の話し声が聞こえてきたり、聞かれているのを知らず、その人の噂話をしてしまったときや、自分の子どもがかわいいものだから、その子どもの口真似をしてかわいがっているのをそばで見ているのは、気恥ずかしい。知ったかぶりも自慢話も、苦々《にがにが》しくて滑稽《こっけい》だと言っています。その人の前では口に出さないけれど、他人のフリ見て「かたはらいたし」と感じることは、誰にでもあるのではないでしょうか。

第百五十二段の「人ばへするもの」とは、図に乗っていい気になる嫌なものです。親に甘やかされている子どもと、四、五歳ばかりのいたずらざかりの子ども。親がいるといい気になって、取り散らかす子どもと、おしゃべりに夢中になって、子どもをきびしく叱らない母親。見ている自分は、他人の子なので叱ることができず、ただ見ているだけでもどかしいという気持ち、よくわかります。

ここに書かれているのは、子どものしつけのことですが、現代でも、このような親子を目にすることがあります。スマホに夢中になり、エレベーターのボタンを押して遊んでいる子どもに気づいていない親。スーパーで手あたり次第品物を触っていく子どもを、まったく注意しない親。今も昔も、他人の子どもを注意しづらいところは変わらず、ましてやその親に告げることもできず、そばで見ているだけ。時には、他人の子どもに注意する勇気も必要なのかもしれません。

第二百七十段の、「人のうへいふを」というのは、人の悪口のことです。

清少納言は、宮仕えをして多くの人と接しているため、悪口を言いたくなることは多いのでしょう。この『枕草子』には、人を鋭く観察し、言いたいことを書いています。確かに、悪口を言ってストレスを発散するのもよいでしょうが、言われたほうはたまりません。

清少納言は、あえて本人の耳に入る心配のない人なら噂をして笑うのが人情だと、噂をしてもいい相手を限定しています。今の世で言うなら、テレビのワイドショーに出てくる人物の噂話をするなら構わないといったところでしょうか。

ワイドショーのネタをもとに話したがる人はいます。いくら話題の人の噂を話しても、知り合いでなければ本人の耳に直接届くことはないでしょう。ところが最近では、SNSなどネット上で、本人に届くような悪口を書きこむ人が増えています。ネットは本人の目にも直接触れることになるので要注意です。

それにしても人の悪口は聞いていて気持ちのいいものではありません。「人の悪口を口にしたら同じ分だけ自分も誰かに悪口を言われていると思いなさい」と言われたことがありますが、その通りかもしれませんね。気をつけたいものです。

（主な参考文献：『現代語訳　枕草子』大庭みな子　岩波現代文庫　岩波書店
新潮日本古典集成『枕草子　上・下』萩谷朴校注　新潮社）

声《こえ》と人柄《ひとがら》　宮城道雄《みやぎみちお》

私は人の言葉つきで、その人が今日自分に、どういう用向《ようむ》きで来たかということが、あらかじめわかる。その人がどういう態度をしているかということも、自然に感じられるのである。

ある夏の暑い時であったが、或《あ》る人が尺八《しゃくはち》を合せに、私のところに来たことがある。その人とは心易《こころやす》い間柄《あいだがら》だったし、丁度《ちょうど》その時は誰も居合《いあ》わせなかったので、その人が上著《うわぎ》を脱ぎ、はだかになって尺八を吹き出した。私はそれを感じていたけれども黙って合奏《がっそう》をしたのであった。そしていよいよ済んだあとで、私が今日のような暑い日には、はだかでやると大変涼しいでしょうなあ、と言ったらその人は驚いて、這《ほ》う這《ほ》うの体《てい》で帰ってしまった。その人は別に私を誤魔化《ごまか》そうと思ってやったのではなく、心易さからのことだったろうが、私の言ったことが当たったのであった。

とりわけ、声で、一番私の感ずることは、バスや円タクに乗った場合である。

声を聞いただけで、今日は運転手が、疲れているなと思ったり、また賃銀《ちんぎん》でも値《ね》ぎられたのか、非常に憤慨《ふんがい》した気持のままだとか、ちゃんと知ることができる。

電車やバスなどの車掌《しゃしょう》が、わざわざ発車するのを遅らせても、私たち不自由な者の手を引いて、乗せてくれたりすることがある。こういう風《ふう》に、道の途中を歩いていても、その人の声を聞いて、その人の人柄が知られるのであるが、私は心の持ちようで、声まで変わって来るものだ

　ということを信じている。

　そして、非常に感謝の気持で仕事をしている人と、疲れの工合《ぐあい》か何か、非常に不愉快らしくしている人があるように思うが、その差は少しの心の持ちようで、どちらにもなるのであると私は思う。


（出典：『心の調べ』河出書房新社）

●声から人柄や健康がわかる

　フジテレビのアナウンサー研修で、「声は人なり」という言葉を教えられました。声は、人そのものを表すものであるということだと解釈しています。盲目の箏曲家《そうきょくか》、宮城道雄も著書の中で、声でその人の人柄がわかると言っています。

　元気のある声、力ない声、枯れた声、透き通る声、絞り出すような声など、声そのものにもいろいろありますが、そこからその人がどのような状態にあるかがわかるうえ、人柄までも伝わるというのです。宮城道雄の「音の世界に生きる」というエッセイでは、声からその人の体形、年齢、職業もわかると書いていますが、声そして話し方はそれほど、人そのものを表すものなのです。

心の中で思っていることは、その人の発する言葉や口調、話すときの態度に表れます。

これはどういうことかというと、たとえば他人から千円を受け取ったとします。それを人に伝えるとき、「千円もいただいた」と言うか、「千円もらった」と言うか、「千円渡された」と言うか、「千円しかくれなかった」と言うか。相手から自分に千円が移動した事実を、どのような言葉を使い、どのような表現をするかで、微妙にその千円の意味が変わってきます。この言葉づかいで、受け取った千円に対して、受け取った本人がどのように思っているかがわかります。

そして、これらを言葉に出して言ってみてください。前後の文脈にもよりますが、まず、千円のありがたみを持って「千円もいただいた」と言ってみてください。次に感情を入れずに、「千円渡された」と事実を伝えるだけの言い方をしてみてください。そして、最後に（一万円くらいもらえると思ったのに）「千円しかくれなかった」と言ってみてください。

それぞれの口調が変わりませんでしたか？　千円を他人から受け取ったという事実は変わらなくても、その人が心の中で思っていることは言葉と言い方に表れてくるのです。

口癖で、その人の性格が見えてくることもあります。たとえば、「も」を多く使いたがる人。自分の意見を言うときに「○○さんも言っていたんだけどね」と前置きをつけて話す人。こういう人は「私はこう思う」と自分だけの意見を言えばいいところを、周りの人を巻きこみます。

あるいは「みんな」という言葉を使って、それがあたかも圧倒的多数の意見、一般的な意見のように言いたがる人。自分に自信がない人なのか、自分の意見を他人に転嫁させたいのか。それとも自分の意見は多数意見だと思わせたいのか。ここに、発言者の心の内がちらと感じられます。

「つまり」「ようするに」これらの言葉を連発する人。他人の発言をまとめるのが上手《うま》いと言えますが、端的に結果を求める人、わかりやすく話そうとする人、せっかちな人、リーダータイプの人がよく使う言葉と考えられます。

「ドカーンと派手にやろう」「ドーンと前に出るように」「キラキラと目立つように」「ワクワクと心がはずむような」「ピリッと引き締めて」など、擬態語、擬音語が多い人は、イメージで話すタイプ。自分独自のアイデアを大切にし、人と活気あることをするのを好むタイプです。

ポジティブな言葉を使う人は、好感が持たれますが、逆にネガティブな言葉を使う人は、人に不快感を与えることがあります。たとえば、何かの企画に向かってみんなが進もうと思っているときに、「そうはいっても……」「失敗したらどうする?」「そんなことやって、どんな意味があるの?」など。慎重で熟考型に多く貴重な意見でも言い方や態度によっては、その場を停滞させたり、後ろに引き戻したりしてしまうので注意が必要です。

また、久しぶりに会っても愚痴《ぐち》の多い人。笑い飛ばす愚痴なら聴《き》いていても一緒に笑えるからいいのですが、やたらに暗くて、返す言葉に困るような言い方をする人。それも、その人の考えや性格が表れていると言えます。

話すスピードには、その人の頭の回転の速さが表れています。眠いときの話すスピードと、神経が冴《さ》えわたっているときでは、会話のリアクションのスピードも違うし、話すスピードも変わってきます。

声は健康のバロメーターです。元気のあるときの声は、呼吸量も多く、大きな声量となりますが、疲れているときやおなかがすいているときは、おなかに力が入らず、小さな声になるうえ、口を動かすのも面倒だから、物言いが悪くなります。そのため不機嫌そうに見えます。

呼吸器の病気をしている方は、明らかに声が小さくなります。花粉症などのアレルギー症状が鼻に表れれば、鼻声になります。宮城道雄ほど細かくはわからないまでも、私たちも意識すれば、その人の人柄や健康状態はわかるようになります。

このように、声や言葉はまさにその人そのものが表れるものなのです。

童話《どうわ》を書《か》く時《とき》の心《こころ》

小川未明《おがわみめい》

自由性を多分《たぶん》に持つものは、芸術であります。こう書くべきものだとか、こう書かなければならぬとかいうことは定っていません。いま、私は、自分の書く時の態度について、語りたいと思います。

かりに、書くかわりに、語るとして、童話について考えて見ます。私が、何か子供達に向《むか》ってお話をするとしたら、まず、それがどんな子供達であるかを知ろうとするでしょう。次に、いくつ位《くらい》であるかを見ます。それによって話を選び、よく分《わか》るようにしたいがためです。

子供の時分《じぶん》には、いかなる種類の話にも大抵《たいてい》興味を持つものです。空想し易《やす》く、ものを見るのに比較的無差別であり、何ものにも同情し易いからにもよるが、それにしても、いろいろな意味で、境遇に従って話の題材を選ぶことは自然であると考えられるからです。また、題材の如何《いかん》が、子供達に与える興味に関係することも勿論《もちろん》であるが、より重要なものは、語る人の態度にあろうと思います。

いかなる話が語られるにせよ、語る人の態度が真面目《まじめ》でなかったなら、子供の心を確実に摑《つか》むことはできません。従って、語る人と聴《き》く者との心の接触から生《しょう》ずる同化《どうか》が大切であるのであります。

真実というものが、いかに相手を真面目にさせるか、熱情というものが、いかに相手の心を打つか、こうした時に分るものです、それであるから、語る人の態度は、自《おの》ずから聴く人の態度を、改めることになるのであります。

「面白い話や、おかしい話や、また怖《おそろ》しい話をしたら、みんなだまってよく聞くじゃないか。だから、そういう話を選んで、子供達にきかしてやればいいのだ」

こういう説も出るでありましょう。もし、単に子供達に聴かせるということが目的であるなら、まさにその通りでありましょう。

私が、お話をしてきかせるというのは、そういう意味からでない。面白がらせるということも、願望の中にないことはないが、もっと、どうかいい人間になってもらいたいということが、お話をする第一目的であるのであります。

多勢《おおぜい》の子供のために、お話をする時は、子供という一般的の通性《つうせい》を観察して、それを基礎に語られますが、もし少数の場合であり、たびたび、繰返《くりかえ》して話すことが出来る場合であったら、恐らく一人一人の性質を知ることができて、ある時は、その子供達の持つ欠点を正しく直《なお》さんがために、また足《た》らざるものを補《おぎな》わんがために話の題材を選ぶこともあれば、その心持《こころもち》で語られるでありましょう。また、ある時は、その子供の持つ善《よ》いところを、ますます成長し伸《のば》さんがために奨励《しょうれい》の心をもって語られたでありましょう。そこに、語る人の真《しん》の愛が見出《みいだ》されるのでありまます。

愛のなきところには、芸術もなければ、教育もないのであります。強制、強圧《きょうあつ》を排《はい》して、自治《じち》、自得《じとく》に重きを置くはこのためです。

（出典：『芸術は生動す　小川未明評論・感想選集』小川英晴編　国文社）

●読み聞かせの極意

児童文学作家である小川未明が、童話を語るときについて書いている個所を抜粋しました。この後、童話を書くときの態度について書いています。

私の朗読教室には、「読み聞かせ」について教えてほしいという方もいらっしゃいます。そのときお伝えしていることが、まさにここに書かれていることと重なります。まず、聴き手がどのような人たちか。その対象者や読み聞かせの目的によって、作品選びが変わってきます。そして同時に読み方も変わってきます。

胎教で赤ちゃんがおなかにいるときから読み聞かせを行っている人がいます。赤ちゃんに本の内容を教えることが目的ではありません。おなかの赤ちゃんのためにおなかの環境をよくすることが目的です。つまり母親がリラックスして本を読むことで、おなかの中の赤ちゃんと向き合う時間がいいのです。

新生児から乳児・幼児では、抱っこしながらスキンシップをはかることが目的となってきます。母親に抱かれ、安心できる環境の中で、母親のおだやかな声を聞く。これは愛着形成に効果を発揮します。小川未明が、「愛のなきところには、芸術もなければ、教育もないのであります」というように、まさにこの時期、語るとき必要なのは「愛」なのでしょう。

ある程度言葉がわかるようになった幼児には、子どもに絵本を選ばせることも大事です。教育的なものばかりの押しつけより、子どもが楽しいと思えるものを読む。本とのかかわりを身につけさせる時期でもあります。絵が楽しいもの、色がきれいなもの、ページをめくるたびに心が弾《はず》むようなもの。また、このころはスポンジのように言葉を吸収していきます。

たくさんの言葉を一気に教えたくなりますが、発達段階に合わせる必要があります。まず名詞でわかりやすい言葉から教えましょう。私は自分の娘に、最初から欲張って、赤い自動車の写真を見せて「あかいくるま」と教えたところ、自動車を見ると、それがどんな色の車だろうと、「あか」と言うようになりました。「a car」と思えば、間違いはないのですが。

そして、小学校低学年になると、絵がなくても言葉だけで物語を理解できるようになります。この時分の読み聞かせは、多少演出して子どもたちを喜ばせる読み方もいいでしょうし、作品によっては、読み手のイメージを押しつけず、ストレートに読む読み方も求められるようになります。臨機応変に読み方を変えることが必要になります。

高学年になったら、本を黙読するので、読み聞かせの機会は少なくなると思います。年代に応じて、「読み聞かせ」の目的や読み方は、変わるということです。

朗読では、作者の書いたものを聴き手にいかに伝えるかがポイントです。私の場合、読み手が著作物をよく読みこみ、自分なりの解釈をし、それをいったん自分の中に落としこみ、そこから音声の技法を使って表現するという方法をとります。

しかし、音声表現のみにこだわらず、「より重要なものは語る人の態度」であり、「語る人の態度は、自《おの》ずから聴く人の態度を改めることになる」ということを肝に銘じて、これからも朗読に真摯《しんし》に向き合っていこうと思います。

第2章　花香る

個性《こせい》

北大路魯山人《きたおおじろさんじん》

わたしは感心したり、寒心《かんしん》したりした。先生、という型《かた》にはまりこんでしまったひとを、わたしは立派だと思ったが、同時に大変さみしく思った。型にはまったればこそ、型にはまった教育を間違いなくやれるのだ。だが、型にはまってしまっているがために、型にはまったことしかできないのだ、と、思った。

料理だって同じことだ。型にはまって教えられた料理は、型にはまったことしかできない。わたしは、決して型にはまったものを悪いというのではない。無茶苦茶《むちゃくちゃ》な心ない料理よりは、まだ型にはまったものの方が見苦しくない。大学を出ない無知よりは、同じ大学を出た無知の方がましだ。だが、大学に行ってても自分でやろうと思ったこと以外はなにも身につかないものだ。本当にやろうと思って努力するひとにとって、学校は不要だ。学校は、やらされねばならない人間のためにある。自分で努力し研究するひとなら、なにも別に学校へ行かなくともよい。とはいうものの、習ったから、自分でやったからといって、大きな違いがあるわけでもない。字でいえば、習った「山」という字と、自分で研究し、努力した「山」という字が別に違うわけではない。やはり、どちらが書いても、山の字に変わりはなく「山」は「山」である。違いは、型にはまった「山」には個性がなく、みずから修《おさ》めた「山」という字には個性があるということである。みずから修めた字には力があり、心があり、美しさがあるということだ。型にはまって習ったものは、仮《かり》に正しいかも知れないが、正しいもの、必ずしも楽しく美しいとはかぎらない。個性のあるものには、楽しさや尊さや美しさがある。しかも、自分で失敗を何度も重ねてたどりつくところは、型にはまって習ったと同じ場所にたどりつくものだ。そのたどりつくところのものはなにか。正しさだ。しかも、個性のあるものの中には、型や、見かけや、立法だけでなく、おのずからなる、にじみ出た味があり、力があり、美があり、色も匂いもある。いや、習いたければ習うもよい。習ったとて、やはり力を、美を、味をと教えてくれるだろう。気をつけねばならぬことは、レディーメイドの力や美を教えこまれぬことだ。型から始まるのも悪くはないが、自然に型の中にはいって満足してしまうことが恐ろしい。型を抜けねばならぬ。型を越えねばならぬ。型を卒業したら、すぐ自分の足で歩き始めねばならぬ。同じ型のものがたくさん出ても日本は幸福にはならぬ。山あり、河あり、谷ありで美しいのだ。しかも、山にも、谷にも、一本の同じ形の木も、同じ寸法の花もない。しかも、その花の一つ一つは、初めはみな同じような種から発芽《はつが》したのだ。芽《め》を出したが最後、それらのものは、みなそれぞれ自分自身で育ってゆく。

習うな、とわたしがいうことは、型にはまって満足するな、精進《しょうじん》を怠《おこた》るなということだ。

この本を読んだからとて、決して立派になるとはかぎらない。表面だけ読んで、満足してしまってはなお困る。実行してくれることだ。そして、それぞれに研究し、成長してくれることだ。読みっぱなしで分《わか》ったようなつもりになってくれては困る。

それでは、個性とはどんなものか。

うりのつるになすびはならぬ――ということだ。

自分自身のよさを知らないで、ひとをうらやましがることも困る。誰にも、よさはあるということ。しかも、それぞれのよさはそれぞれにみな大切だということだ。

牛肉が上等で、だいこんは安ものだと思ってはいけない。だいこんが、牛肉になりたいと思ってはいけないように、わたしたちは、料理の上に常《つね》に値段の高いものがいいのだと思い違いをしないことだ。

すきやきの後では、誰だって漬けものがほしくなり、茶漬けが食べたくなるものだ。料理にそのひとの個性というものが表われることも大切であると同時に、その材料のそれぞれの個性を楽しく、美しく生かさねばならないとわたしは思う。


（出典『魯山人の美食手帖』平野雅章編　グルメ文庫　角川春樹事務所）

●型にはまらない個性を生かせ

型というのは、大切です。多くの人が試行錯誤し、意見を出し合ってよりよい型をつくり出しているからです。しかし、決められた型だけを守っていれば、そこから進化することも退化することもなく、永遠にその型が続くだけでしょう。人間に当てはめて言うなら、みな一律で、文字通り型にはまった個性のない人間ばかりになってしまいます。

ここで思い出す言葉があります。「守破離《しゅはり》」です。もとは千利休《せんのりきゅう》の訓をまとめた『利休道《りきゅうどう》歌《か》』にある、「規矩作法 守り尽くして破るとも離れるとても本を忘るな」と言われています。まずは師匠から教えられた型を徹底的に「守る」ことから始めます。

その型を完全に身につけた者は、さらに修行を重ね、師匠から教わった型と自分が発見した型を照らし合わせ、模索し試すことで既存の型を「破り」ます。さらに、師匠の型と自分の型、両方の技についてよく理解すると、次に既存の型にとらわれることなく、いわば型から「離れ」て自在となることができるということです。そして、たとえ離れても、元の型は忘れてはなりません。

型にはめる教育で、型にはまった人間ばかりになってはおもしろくないし、日本も発展しないでしょう。「型を抜けねばならぬ。型を越えねばならぬ。型を卒業したら、すぐ自分の足で歩き始めねばならぬ」まさに、その通りです。型をしっかり習得したうえで、型を抜けて、型を超えるのです。

魯山人は、自分の型ができたあとの「個性」について語っています。「自分自身のよさを知らないで、ひとをうらやましがることも困る」と説いていますが、最近では自分のよさに気づけない若者が多いのでしょうか。就職などで自分のよさをアピールしなければいけない場面で悩んでしまう、自己肯定感が低い人もいるようです。

また、SNSなどの普及で、他人の写真や投稿を読んで、ため息をついたり、うらやましがったりする場面も見受けられます。そもそも、SNSの投稿は他人に見てもらいたくて投稿しているのですから、いいことづくしに決まっています。時には実際より盛《も》っている人も多いと思います。そのような投稿を見て、他人の生活をうらやましく思ったり、自分を惨《みじ》めに思ったりする必要はありません。自分は自分なのです。

「トゥールダルジャン」（フランス料理の最高級レストラン）で食事をしている投稿を見ながら、自分は納豆を食べていたとします。納豆だからと悲観することはありません。納豆はたんぱく質やビタミンを多く含み、手軽にとれる発酵食品で、アンチエイジングの効果も期待されているなど、いいことずくめの健康食品です。納豆を食べている自分に自信を持っていいのです。「常に値段の高いものがいいのだと思い違いをしないことだ」という魯山人の言葉がすべてを物語っています。

現在は多様性の時代。それぞれが持つ個性が認められる時代になりました。「〜するべき」「〜であるべき」「〜でなくてはならない」という、型にはめる教育ではなく、型を教えたうえで、そこから自分で考えて行動する力を身につける教育に変わってきました。その分、入試などでは、従来の暗記物から、発想力や応用力がより一層求められるようになってきています。一方、型にはまらない子どもたちもその個性が尊重され、特殊な能力を生かして育てるようになってきています。

料理も人間も同じ。素材そのものをよく見て、その素材のよさを生かした調理をすることが大切なように、人間もその人自身をよく見て、個性を生かした人材を育てることが大切なのです。

植物一日一題《しょくぶついちにちいちだい》　牧野富太郎《まきのとみたろう》

ワルナスビとは「悪る茄子」の意である。前にまだこれに和名のなかった時分に初めて私の名づけたもので、時々私の友人知人達にこの珍名を話して笑わしたものだ。がしかし「悪ルナスビ」とは一体どういう理由で、これにそんな名を負《お》わせたのか、一応の説明がないと合点《がてん》がゆかない。

下総《しもうさ》の印旛郡《いんばぐん》に三里塚《さんりづか》というところがある。私は今からおよそ十数年ほど前に植物採集のために、知人達と一緒にそこへ行ったことがある。ここは広い牧場で外国から来たいろいろの草が生《は》えていた。そのとき同地の畑や荒れ地にこのワルナスビが繁殖《はんしょく》していた。

私は見逃さずこの草を珍らしいと思って、その生根を採《と》って来て、現住所東京豊島郡大泉村《としまぐんおおいずみむら》（今は東京都板橋区《いたばしく》東大泉町となっている）の我が圃中《はたなか》に植えた。さあ事《こと》だ。それは見かけによらず悪草で、それからというものは、年を逐《お》うてその強力な地下茎《ちかけい》が土中深く四方《しほう》に蔓《はび》こり始末におえないので、その後はこの草に愛想《あいそ》を尽《つ》かして根絶させようとしてその地下茎を引き除いても引き除いても切れて残り、それからまた盛んに芽出《めだ》って来て今日でもまだ取り切れなく、隣りの農家の畑へも侵入するという有様《ありさま》。イヤハヤ困ったもんである。それでも綺麗《きれい》な花が咲くとか見事《みごと》な実がなるとかすればともかくだが、花も実もなんら観《み》るに足らないヤクザものだから仕方《しかた》ない、こんな草を負い込んだら災難だ。

茎《くき》は二尺内外《にしゃくないがい》に成長し頑丈《がんじょう》でなく撓《たわ》みやすく、それに葉とともに刺《とげ》がある。互生《ごせい》せる葉は薄質《はくしつ》で細毛《さいもう》があり、卵形あるいは楕円形《だえんけい》で波状《はじょう》一裂縁《いちれつえん》をなしている。花は白色微紫《はくしょくびし》でジャガイモの花に似通《にかよ》っている日花《にちばな》である。実は小さく穂《ほ》になって着き、あまり冴《さ》えない柑黄色を呈《てい》してすこぶる下品に感ずる。

この始末の悪い草、何にも利用のない害草に悪るナスビとは打ってつけた佳名《かめい》であると思っている。そしてその名がすこぶる奇抜《きばつ》だから一度聞いたら忘れっこがない。

この草は元来《がんらい》北米の産でナス科ナス属《ぞく》に属し *Solanum carolinense L.* の学名を有《ゆう》する。アメリカ本国でも無論《むろん》耕地の害草で、さぞ農夫が困りぬいているであろうことが想像せられる。

（出典『植物一日一題』博品社）

●雑草はないが悪草はある

NHKの朝の連続テレビ小説で、植物学者牧野富太郎をモデルとした「らんまん」が放送されました。ドラマはあくまでもフィクションですが、牧野富太郎が植物を愛し、生涯を植物学の研究に費やしたことは事実です。

牧野富太郎が「世の中に〝雑草〟という草は無い。どんな草にだって、ちゃんと名前がついている」と言ったと言われています。この言葉は、のちに昭和天皇もおっしゃったと伝わっています。昭和天皇も自然を大切にしていらっしゃいました。

牧野富太郎は植物学者として、すべての植物に名前があることを伝えたようですが、昭和天皇は、１９６５年（昭和40年）から侍従を務めていた田中直《たなかなおる》が吹上御所《ふきあげごしょ》で「雑草」を刈ったことを伝えたところ、「雑草ということはない」とたしなめられたということです。そして、この言葉は、今は多くの人が、さまざまな解釈で使うようになりました。

牧野富太郎は、私たちが雑草と言って除草するすべての植物も愛し、大切にする人と勝手に思いこんでいましたが、この「ワルナスビ」の随筆を読んで、そうでないことがわかりました。

私は、草刈りをするたびに、どんな植物も生きていて、それを刈ることにいつも抵抗を感じています。また、きれいな花を身につける植物と、普段私たちが「雑草」として草刈りをする植物とを差別しているようで、刈り取る瞬間にとても罪悪感を覚えてしまいます。

でも、やたらはびこる実家の庭のヨウシュヤマゴボウには、ほとほと手を焼いています。このヨウシュヤマゴボウもゴボウという名前がついている悪草です。この生命力の強いワルナスビの悪行の記述を読むと、牧野富太郎も悪草に困ったことがあったのだとわかり、ちょっとほっとしました。

さて、そんな牧野富太郎は『牧野富太郎自叙伝』(講談社学術文庫　講談社)の中で、こんなことを書いています。

「人生まれて酔生夢死ほどつまらないものはない。大いに力《つと》めよや、吾人！　生きがいあれや吾人！　これ吾人の面目でなくて何んであろう。何事も心が純正でかつ何時も体が健康で、自ら誇らず、他をねたまず、水の如き清き心を保持して行くのは、神意にかなうゆえんであろう。こんな澄んだ心で一生を終えれば死んでもあえて遺憾はあるまい。そして静かに成仏が出来るに違いなかろう、とあえて私は確信するのである。

終りに臨みて謡うていわく、
学問は底の知れざる技芸なり
憂鬱は花を忘れし病気なり
わが庭はラボラトリーの名に恥じず
綿密に見れば見る程新事実
新事実積り積りてわが知識
何よりも貴き宝持つ身には、富も誉れも願わざりけり」

牧野富太郎の生き方そのものが表れている言葉です。情熱を持ってこの自叙伝を書き、これを刊行した翌年、九十四歳でこの世を去りました。没後、従三位《じゅさんみ》に叙《じょ》され、勲二等旭日《くんにとうきょくじつ》重光章《じゅうこうしょう》と文化勲章を追贈《ついぞう》されました。

堤中納言物語《つつみちゅうなごんものがたり》「はいずみ」

この男、いとひききりなりける心にて、あからさまにとて、いまの人のもとに、昼間《ひるま》に入《い》り来《く》るを見て、女――「にはかに、殿《との》、おはすや」と言へ《え》ば――、うちとけて居《い》たりけるほどに、心さわぎて、

「いづら、いづこにぞ」

と言ひ《い》て、櫛《くし》の笥《はこ》をとり寄せて、白《おしろい》き物を付くると思ひ《い》たれば、とり違《たが》へ《え》て、掃墨《はいずみ》入《い》りたる畳紙《たとうがみ》をとり出《い》でて、鏡も見ず、うち装束《そうぞ》きて、女は、

「そこにて、しばし。な入《い》りたまひ《い》そ。――と言へ《え》」

とて、是非《ぜひ》も知らずきし付くるほどに、男、

「いと、とくも、うとみたまふ《もう》かな」

とて、簾《すだれ》をかきあげて入《い》りぬれば、畳紙《たとうがみ》を隠して、おろおろにならして、

うち口覆《くちおお》ひ《い》て、優《ゆう》まくれにしたてたりと思ひ《い》て、斑《まだら》におよび形《かた》に付けて、目のぎろぎろとして、またたきゐ《い》たり。

男、見るに、あさましう、めづらかに思ひ《い》て、いかにせむとおそろしければ、近くも寄らで、

「よし、いましばしありて、参らむ」

とて、しばし見るもむくつけければ、去《い》ぬ。

女の父母《ちちはは》、かく来たりと聞きて、来たるに、

「はや、出《い》でたまひ《い》ぬ」

と言《え》へば、

「いとあさましく、名残《なごり》なき御心《おおんこころ》かな」

とて、姫君の顔を見れば、いとむくつけくなりぬ。おびえて、父母《ちちはは》も、

倒れ臥《ふ》しぬ。

女《むすめ》、

「など、かくは宣《のたも》ふぞ」

と言へ《え》ば、「その御顔《おおんかお》は、いかになりたまふ《もう》ぞ」とも、え言ひ《い》やらず。

「あやしく。など、かくは言ふ《う》ぞ」とて、鏡を見るままに、かかれば、

われもおびえて、鏡を投げ捨てて、

「いかになりたるぞや。いかになりたるぞや」

とて、泣けば、家のうちの人も、ゆすり見て、

「これをば、思ひ《い》うとみたまひ《い》ぬべきことをのみ、かしこにはしはべる

なるに、おはし《わ》たれば、御顔《おおんかお》のかくなりにたる」

とて、陰陽師《おんみょうじ》、呼び騒ぐほどに、涙の落ちかかりたる所の、例の肌にな

りたるを見て、乳人《めのと》、紙おしもみて拭《のご》へば、例の肌になりたり。かかりけるものを。——いたづらになりたまへ《え》るとて、騒ぎけるこそ、かへ《え》すがへ《え》すを《お》かしけれ。

（出典：新潮日本古典集成『堤中納言物語』塚原鉄雄校注　新潮社）

●今も昔も慌てるとろくなことはない

『堤中納言物語』は平安時代に成立した短編集で、作者・編者は不詳です。今回ここに掲載したのは、「はいずみ」の最後のほうの文章です。

簡単にあらすじをご紹介します。

妻のいる男が、新しい妻と一緒に暮らさなければならなくなりました。そこで元の妻は、当てもないのに家を出ていくことになります。ところが男は、出て行った元の妻が恋しくなり、引き戻します。男は、新しい妻に、元の妻が病気だから治《なお》ったらお前を迎えに行くと伝えるのですが、せっかちな性分の男は、昼間突然新しい妻の所に行きます。ここからが、ここに掲載したところになります。

まさか突然男が来ると思わないので、くつろいでいた新しい妻は、慌《あわ》てて鏡も見ずにおしろいを塗ります。ところが、それはおしろいではなく、掃墨《はいずみ》（油煙）だったので、その女の顔は恐ろしい顔になりました。それを見た男は呆《あき》れはて、奇妙なものを見て恐ろしいので帰っていきます。

女は鏡を見て驚きます。古い妻のおまじないではないかというものまでいて、陰陽師に診《み》てもらいましたが、涙の跡が元に戻っているので、乳母が顔を拭いてやると、元の顔に戻りましたという話です。

二人妻説話ですが、やさしい古い妻の愛情を再確認し、新しい妻の思わぬ失敗により幕をおろす物語は、滑稽《こっけい》でありながら、ほっとします。古い妻を「あはれ」とし、新しい妻を「をかし」とする、その物語の構成はわかりやすく、興味を引きます。

現在なら、不倫、略奪愛などドロドロした小説になりそうですが、新しい妻が最後にはいずみをぬぐってオチをつけることで、小説として軽く楽しめるものになっています。

『今昔物語』『伊勢物語』『堤中納言物語』と読み比べると、当時の男女の様子がよくわかります。『今昔物語』の重方《しげかた》の妻のように夫をひっぱたく者もいれば、『伊勢物語』のように和歌でうまく切り返す女性、そして、「はいずみ」のつつましやかな前の妻と、掃墨を顔に塗りたくってしまう無邪気な女。これらの物語を読むと、いずれも女性たちが元気に描かれているところがおもしろいです。

さて、この物語はそそっかしい女性のおかげで男は元の妻の所に戻ることができ、めでたしめでたしという結末ですが、よく考えれば、好きだった女性が真っ黒い不気味な顔になったからと怖気《おじけ》づいて去っていくような男性はサイテーですね。

もし本気で、愛しているなら、その女性がどんな容姿になろうと、逃げることはしないでしょう。むしろ、心配になり寄り添ってあげるのが愛というものです。平安時代と現在は、夫婦のあり方も違いますし、これは物語ですから見逃すといたしましょう。

突然の男性の訪問に慌てて掃墨を塗ってしまった女性。しかし、掃墨ならずともこのようなそそっかしいことをしてしまった経験は誰にでもあるのではないでしょうか。私も、カラーを前髪につけたまま玄関に出てしまったり、思いがけず近所の人に会ってしまったり、誰もいないと思いパジャマのまま外のゴミ捨てをしたら、思いがけず近所の人に会ってしまったり……。あるときは、つけまつげがとれかかっている女性を見かけたことがありますが、それはかなりびっくりしてしまうお顔でした。

ばつが悪いときは、笑ってごまかすに限る。この物語の男性も、気の利《き》いた一言を投げかけて笑い飛ばすくらいの度量があったらよかったのにと思います。

茶《ちゃ》の本《ほん》　岡倉覚三《おかくらかくぞう》（村岡博《むらおかひろし》訳《やく》）

第一章　人情《にんじょう》の碗《わん》

茶は薬用《やくよう》として始まり後《のち》飲料となる。シナにおいては八世紀に高雅《こうが》な遊びの一つとして詩歌《しいか》の域《いき》に達した。十五世紀に至《いた》り日本はこれを高めて一種の審美的《しんびてき》宗教、すなわち茶道にまで進めた。茶道は日常生活の俗《ぞく》事《じ》の中に存《そん》する美しきものを崇拝《すうはい》することに基《もと》づく一種の儀式であって、純粋と調和、相互愛の神秘、社会秩序のローマン主義を諄々《じゅんじゅん》と教えるものである。茶道の要義《ようぎ》は「不完全なもの」を崇拝するにある。いわゆる人生というこの不可解《ふかかい》なもののうちに、何か可能なものを成就《じょうじゅ》しようとするやさしい企《くわだ》てであるから。

茶の原理は普通の意味でいう単なる審美主義ではない。というのは、倫理、宗教と合《がっ》して、天人《てんじん》に関するわれわれのいっさいの見解を表わしているものであるから。それは衛生学《えいせいがく》である、清潔をきびしく説くから。それは経済学である、というのは、複雑なぜいたくというよりもむしろ単純のうちに慰安《いあん》を教えるから。それは精神幾何学《きかがく》である、なんとなれば、宇宙に対するわれわれの比例感を定義するから。それはあらゆるこの道の信者を趣味上の貴族にして、東洋民主主義の真精神《しんせいしん》を表わしている。

日本が長い間世界から孤立していたのは、自省《じせい》をする一助《いちじょ》となって茶道の発達に非常に好都合《こうつごう》であった。われらの住居、習慣、衣食、陶漆器《とうしっき》、絵画等――文学でさえも――すべてその影響をこうむっている。いやしくも日本の文化を研究せんとする者は、この影響の存在を無視することはできない。茶道の影響は貴人《きじん》の優雅《ゆうが》な閨房《けいぼう》にも、下賤《げせん》の者の住《す》み家《か》にも行き渡ってきた。わが田夫《でんぷ》は花を生《い》けることを知り、わが野人《やじん》も山水《さんすい》を愛《め》でるに至った。俗《ぞく》に「あの男は茶気《ちゃき》がない」という。もし人が、わが身の上におこるまじめながらの滑稽《こっけい》を知らないならば。また浮世《うきよ》の悲劇にとんじゃくもなく、浮かれ気分で騒ぐ半可通《はんかつう》を「あまり茶気があり過ぎる」と言って非難する。

（出典：『茶の本　改版』岩波文庫）

●茶道の精神に学ぶ

『茶の本』は岡倉天心《おかくらてんしん》（本名、覚三）が英文で発表したものを、天心の弟の弟子、村岡博が翻訳してニューヨークの出版社から出版されました。

私の母は、茶道の裏千家《うらせんけ》の正教授でした。私は母のお茶会の手伝いのためにお点前《てまえ》を習うことはあっても、残念ながら茶道を学ぼうとしませんでした。

茶の道は奥が深い。お茶はお点前だけでなく、その精神にあります。母は、わびさびの世界を愛し、和敬を重んじていました。でも、若いころの私は、その茶道の世界のことがわからず、理解しようともせず、茶道具を買い、着物を買い、お茶会に行く母を、優雅な趣味だと勘違いしていました。

２０２３年、千玄室《せんげんしつ》大宗匠の講演会の司会をさせていただく機会がありました。１ヵ月後に百寿《ひゃくじゅ》を迎えられるという大宗匠は、スーツ姿で背筋をピンと伸ばされ、関係者の方ににこやかにご挨拶されていらっしゃいました。裏千家のトップの方なので私はたいへん緊張しましたが、とても気さくな雰囲気で、周囲の方々を暖かい光で包むようなオーラを感じました。

講演が始まると、90分の講演をずっと姿勢よくお立ちのままお話しされました。それは、私のように茶道のわからない者にもわかりやすく、心に響くお話でした。

茶碗の中に世界がある。「一碗のお茶から争いのない和《なご》やかな世界をつくっていただきたい」「一碗のお茶はさり気ないやさしさ、謙虚な心を教えるものです。『平和』という言葉を使わなくてもすむような和やかな世の中になるよう心掛けください」。緊迫化する世界情勢に触れ、戦時中の経験やお茶を通じた外交など、自身の歩みを振り返りながら、「一碗からピースフルネスを。お茶は国や言語を越えて人間を結ぶ絆《きずな》になります。和やかな心を養い、日常生活に生かしてほしい」

茶道のお点前を習うのはハードルが高くても、その精神には学びがたくさんあることは確かです。

言葉《ことば》の魅力《みりょく》［第一稿《だいいっこう》］

岸田國士《きしだくにお》

正しい言葉といふ《う》ものは、必ずしも、美しい言葉ではない。正しい言葉は、誰が遣《つか》つ《っ》ても正しい言葉であるが、美しい言葉は、遣ふ《う》人によつ《っ》て、美しい言葉となるのである。

方言の美しさ、子供の片言の美しさなどを感じ得る人は、「言葉の魅力」について、世間《せけん》の人達が、どんなに無関心であるかに気がつく筈《はず》である。

装飾は借り物ですむ場合もあるが、「言葉」だけは、決して、「借り物」ですまされないところに、一つの秘密があるのである。

言葉の魅力は、それ故《ゆえ》、初めにも云《い》つ《っ》た通り、詮《せん》じつめれば、「表情の美」である。意識するとしないとに拘《かかわ》はらず、自分がそのまゝ《ま》「言葉」の中に出るものであるから、極端に云へ《え》ば、「言葉」を美しくしようと思へ《え》ば、自分自身を鍊へ《きたえ》上げるより外《ほか》はない。信念を披瀝《ひれき》する人間の言葉、愛情を吐露《とろ》する人間の言葉が、常《つね》に、何等《なんら》かの意味で美しいと同じく、素朴《そぼく》な人、感情の濃《こま》やかな人、控え目な人などと、それぞれ、その人らしい言葉を使ふ《う》ものである。そして、それは、それぞれの意味で美しい響《ひびき》をもつ《つ》てゐ《い》る。

言葉は性格を反映するばかりでなく、その人の「品位」を決定する。この中には多少趣味といふ《う》ものも含まれてゐ《い》るから、上品な言葉遣ひ《い》とか、下品な言葉遣ひ《い》とか云つ《つ》ても、それだけで、その人の「品位」全体を推断することはできないが、言葉の撰択に示されたある標準が、少くとも、この人を上品にし、又《また》は下品にする。この場合、上品な言葉を遣ふ《う》からその人が上品であるとは限らない。練習次第では、どんな「言葉遣ひ《い》」でも真似られるものである。それがたゞ《だ》、ほんとうに自分の撰択によつ《っ》て、自分のものになつ《っ》てゐ《い》るかゐ《い》ないかである。例《たと》へ《え》ば、俗《ぞく》に云ふ《う》、「遊ばせ言葉」なる一種の上流語は、必ずしも「品位」のある言葉ではなく、時には、形式的な儀礼を示すに過ぎず、時には、相手の貴族的階級心に媚《こ》びる卑屈《ひくつ》な調子ともなるのである。

品位のある言葉とは、要するに、その人の「高い教養」から発する「矜持《プライド》」の現《あら》はれであつ《っ》て、己《おの》れを識《し》り、相手を識り、礼節と信念とを以《もっ》て、真実を美しく語る言葉である。

（出典『岸田國士全集22』岩波書店）

●共通語と標準語

「言葉の魅力［第一稿］」の一部を抜粋して掲載しましたが、全体を通して、元局アナの私としては、うなずけることばかりです。

私は、話すことについてはフジテレビ入社当時にアナウンスの訓練を受けています。それは、発声から始まり、アイウエオの母音の発音の仕方、言葉を明朗に話す滑舌《かつぜつ》練習、原稿読みの練習、漢字の読み方、語彙《ごい》の意味を正確に知って使うなど、多岐《たき》にわたります。公共の放送でアナウンサーが使う言葉は、一般的に共通語と言われているものです。この共通語は、以前は標準語と言われていました。

そこで、標準語とは何かという問題につきあたります。標準語とは『大辞泉《だいじせん》』によると、「一国の公用文や教育・放送などで用いる規範としての言語。標準語の普及を目的として、文部省が編した小学校の『国定読本』（明治37年〜昭和24年）は、東京山の手地区に行われる、教養ある階層の言語に基づいている。なお、『標準語』という用語は、明治23年に岡倉由三郎《おかくらよしさぶろう》が最初に使った」とあります。

これと同じように使われるものに、共通語というものがあります。「一つの国の中で、地域・階層の違いを超えて通用する言語。日本ではその基盤を東京語に置いている。規範性を持つ『標準語』という用語と分別するために使用される語」（『大辞泉』）

教養ある階層の言語に基づいているということですが、教養ある階層って何？と疑問が湧きます。教養があるかないか、ここでも見えない線引きがされていたのですね。そこで現在は、放送などでは「標準語」ではなく「共通語」が用いられるようになりました。

また、放送の言葉は原則として共通語によるものとし、必要により方言も用いるようになりました。放送の出演者も多様化し、方言も含めた放送の言葉の多様性が許容される時代となってきているのです。

さてアナウンサーは、正しい日本語を使うということを教えられます。それは、文法的に正しいこともありますが、漢字の読みも、言葉の使い方も教科書や辞書の通りに話すことを意味します。そういう意味では、アナウンサーは国語を一から勉強し直している感じです。

たとえば「間髪をいれず」の読みは「カンパツ」ではなく「カンハツ」であるとか、「煮詰まる」は「行き詰まる」と勘違いされやすいが、本来の意味は十分な議論を行い結論が出せる状態をいうなどということです。ちなみに、「煮詰まる」は誤用が多い言葉ですが、「行き詰まる」「息詰まる」こちらは漢字の変換間違いで意味が変わってきてしまうのでご注意を。

そして、「全然」の後は否定形で結ぶと習っていたのは、ある一定の時期に国語を習った人たちだということもご存じでしたか。明治時代には「全然」は「すっかり」「すべて」という意味で肯定的に使われていました。それから「全然」の後に否定形がつく使われ方をするようになり、現在では「全然」の後に否定・打消しを伴う場合は「まるで〜ない」「すこしも〜ない」という意味になり、肯定の言葉を伴えば、「すっかり」「非常に」「とても」などの意味になります。

言葉の使い方で最近びっくりするのが「やばい」です。もとは盗人や香具師《やし》などの隠語だったと言われています。危険や不都合な状況が予測されるさま。危ないという意味です。私は子どものときから、「やばい」は口にしてはいけないと言われていました。なので、「やばい」が最近「すごくいい」「最高だ」という意味で若者たちが使うようになっても、使うのも聞くのも抵抗があります。

私の朗読教室では、方言を直したいという強い要望がない限り、読み手のアクセントを尊重します。これがアナウンスの訓練なら別ですが、朗読の場合、どの読み方が正解というものがないと考えています。たとえば、関西出身の作家さんの作品を朗読したとします。私は、共通語のアクセントで読みます。これをその作家さんと同じ地元の方が読めば、それが本当に作者に忠実な読み方になるでしょう。ただし、アクセントの違いで意味が変わってしまうものは訂正させていただきます。たとえば「橋」「箸」「端」などです。このアクセントの問題も、多様性が意識されてからは、だいぶ許容範囲が広がりました。

「二月」「四月」の読み方は、正確には「ニガツ」「シガツ」と平板です。でも最近では東京の若い人たちのほとんどは「ニガツ」「シガツ」と関西のように頭にアクセントを置いて話します。アナウンサーとしては、厳しく注意されるところですが、ＣＭで、「シガツ」の頭にアクセントを置いた読み方をしているのを聞いたことがあります。ＣＭでこのアクセントが許容されているのに驚きましたが、使う人が多くなれば、それがそのうち一般的になるということなのでしょう。

すべての人が美しい言葉を使うというのは無理なことです。言葉にも多様性が見られて当然です。どんな言葉づかいでも大切なのは「心」。「己れを識《し》り、相手を識り、礼節と信念とを以て、真実を美しく語る言葉」を心がけたいものです。

学問《がくもん》のすすめ　福沢諭吉《ふくざわゆきち》

演説をもって事を述《の》ぶれば、その事柄の大切なると否《いな》とはしばらく擱《お》き、ただ口上《こうじょう》をもって述ぶるの際《さい》におのずから味を生《しょう》ずるものなり。譬《たと》えば文章に記《しる》せばさまで意味なきことにても、言葉をもって述ぶればこれを了解すること易《やす》くして人を感ぜしむるものあり。古今《ここん》に名高き名《めい》詩名歌《しめいか》というものもこの類《たぐい》にて、この詩歌《しいか》を尋常《じんじょう》の文に訳すれば絶えておもしろき味もなきがごとくなれども、詩歌の法に従いてその体裁《ていさい》を備《そな》うれば、限りなき風致《ふうち》を生じて衆心《しゅうしん》を感動せしむべし。ゆえに一人の意を衆人に伝うるの速《すみ》やかなると否とは、そのこれを伝うる方法に関することはなはだ大なり。

学問はただ読書の一科《いっか》にあらずとのことは、すでに人の知るところなれば今これを論弁するに及ばず。学問の要《よう》は活用にあるのみ。活用なき学問は無学に等し。在昔或《ざいせきあ》る朱子学《しゅしがく》の書生、多年《たねん》江戸に修業して、その学流《がくりゅう》につき諸大家の説を写し取り、日夜怠《にちやおこた》らずして数年の間にその写本数百巻を成し、もはや学問も成業したるがゆえに故郷へ帰るべしとて、その身は東海道を下《くだ》り、写本は葛籠《つづら》に納めて大回しの船に積み出《い》だせしが、不幸なるかな、遠州洋《えんしゅうなだ》において難船《なんせん》に及びたり。この災難により、かの書生もその身は帰国したれども、学問は悉皆海《しっかいうみ》に流れて心身に付《ふ》したるものとてはなに一物《いちもつ》もあることなく、いわゆる本来無一物《むいちもつ》にて、その愚《ぐ》はまさしく前日に異なることなかりしという話あり。

（中略）

ゆえに学問の本趣意《ほんしゅい》は読書のみにあらずして、精神の働きにあり。この働きを活用して実地《じっち》に施《ほどこ》すにはさまざまの工夫なかるべからず。オブセルウェーションとは事物《じぶつ》を視察することなり。リーゾニングとは事物の道理を推究《すいきゅう》して自分の説を付《つ》くることなり。この二ヵ条にてはもとよりいまだ学問の方便《ほうべん》を尽くしたりと言うべからず。なおこのほかに書を読まざるべからず、書を著《あら》わさざるべからず、人と談話せざるべからず、人に向かいて言《げん》を述べざるべからず、この諸件の術を用い尽くしてはじめて学問を勉強する人と言うべし。すなわち視察、推究、読書はもって智見《ちけん》を集め、談話はもって智見を交易《こうえき》し、著書、演説はもって智見を散《さん》ずるの術なり。然《しか》りしこうしてこの諸術のうちに、あるいは一人の私《わたくし》をもって能《よ》くすべきものありといえども、談話と演説とに至りては必ずしも人とともにせざるを得ず。演説会の要用なることもって知るべきなり。

方今《ほうこん》わが国民においてもっとも憂《うれ》うべきはその見識の賤《いや》しきことなり。

これを導きて高尚の域《いき》に進めんとするはもとより今の学者の職分なれば、いやしくもその方便あるを知らば力を尽くしてこれに従事せざるべからず。しかるに学問の道において、談話、演説の大切なるはすでに明白にして、今日これを実に行なう者なきはなんぞや。学者の懶惰《らんだ》と言うべし。人間の事には内外両様《りょうよう》の別ありて、両《ふたつ》ながらこれを勉《つと》めざるべからず。今の学者は内の一方に身を委《まか》して、外の務めを知らざる者多し。これを思わざるべからず。私に沈深《ちんしん》なるは淵《ふち》のごとく、人に接して活発なるは飛鳥《ひちょう》のごとく、その密なるや内なきがごとく、その豪大《ごうだい》なるや外なきがごとくして、はじめて真の学者と称すべきなり。

（出典：『日本の名著33　福沢諭吉』中公バックス　中央公論社）

●学問の要は活用にあるのみ

『学問のすすめ』の中の「十二編　演説の法を勧むるの説」と題する、「演説」に関することが書かれている編からの文章です。

福沢諭吉は、「大勢の人を集めて我が意見を述べ、席上で自分の考えを発表すること」の必要性を説いています。日本で国会の設立が問題となっていた明治7年に書かれたもので、福沢諭吉は、演説の法がなければ国会も役に立たないだろうと言っています（国会は、明治14年＝1881年に開かれました）。

ここで福沢諭吉は、文章で書けばそれほど注意を引かないことでも、口で話せばわかりやすくて、人の心を動かす力があるということを説いています。これは、演説に限らず言えることではないでしょうか。メールやスマホで送られた「ありがとう」「ごめんなさい」の一言でも、デジタルの文字を目で認識するのと、その人の感情が乗せられた声を通じて伝えられるのとでは、伝わり方は違います。プレゼンや授業などの講義でも、文字よりスピーチで伝えられることのほうが大きいと思います。

しかし、最近ではパソコンで、とてもわかりやすいプレゼン資料や講義のテキストがつくられてしまうため、参加者はまず目で情報を受け止めてしまい、よっぽど話が上手《うま》くないと話を聴《き》こうとしません。テキスト文章は、いつでも読めるし、タイムパフォーマンスがよい（時間短縮になる）と思われてしまうからです。だからこそ、人を引き込むスピーチ力が求められる時代になってきたと言えます。

もう一つ、福沢諭吉は「学問の要は活用にあるのみ。活用なき学問は無学に等し」という言葉を残しています。自分が学んだ知識を社会に役立つように活用しなければならない。つまり、視察、推究、読書でみずから智見を集め、談話で智見を人と交換し、書を著《あらわ》し、演説で智見を広めよということです。もっと端的に言うならば、学者でなくとも「学んだことは実生活に生かせ」ということと捉えられます。

いまさら学問と言われてもね……とこのページを飛ばそうとしている皆さん、ちょっと待ってください。高校や大学を出ていようといまいと、年齢を重ねた方は、それなりの人生経験をしています。また、仕事で培《つちか》った技術や学びもあることでしょう。それらは、正確には学問と言えませんが、他人にとっては学びになることもあります。

たとえば、仕事でパソコンを普通に扱っていた方は、パソコンを巧《たく》みに操《あやつ》ることができます。でもパソコンの使い方を知らない、スマホもわからない高齢者は、多くいらっしゃいます。そういう方にパソコンを教えたり、パソコンを使って町内会のチラシをつくったりしたら大層喜ばれることでしょう。趣味でやってきた習い事も、習得した技術を広める機会はいつだってあります。これからは、社会人やシニアの活動の場は広がります。ぜひ今までに培ったものを、有効に活用してみてはいかがでしょうか。

（参考文献：『現代語訳　学問のすすめ』福沢諭吉　伊藤正雄訳　岩波現代文庫　岩波書店）

第二十段

昔、男、大和《やまと》にある女を見て、よばひ《い》てあひ《い》にけり。さて、ほど経て、宮仕へ《え》する人なりければ、帰り来る道に、弥生《やよい》ばかりに、かへ《え》でのもみぢのいとおもしろきを折りて、女のもとに、道よりいひ《い》やる。

君がため手折《たお》れる枝は春ながら　かくこそ秋のもみぢしにけれ

とてやりたりければ、返りごとは、京に来着きてなむもて来たりける。

いつのまにうつろふ《う》色のつきぬらむ　君が里には春なかるらし

第六十三段

昔、世心《よごころ》つける女、いかで心なさけあらむを《お》とこにあひ《い》えてしがなと思へ《え》ど、言《い》ひ《い》出でむもたよりなさに、まことならぬ夢語《ゆめがた》りをす。子三《み》人《たり》を呼びて、かたりけり。二人《ふたり》の子は、なさけなくいらへ《え》て止《や》みぬ。三郎なりける子なむ、「よき御男《おんおとこ》ぞいでこむ」とあは《わ》するに、この女、気《け》色《しき》いとよし。こと人《ひと》はいとなさけなし。いかでこの在五《ざいご》中将《ちゅうじょう》にあは《わ》せてしがなと思ふ《う》心あり。狩《かり》しありきけるにいきあひ《い》て、道にて馬の口をとりて、「か《こ》うか《こ》うなむ思ふ《う》」といひ《い》ければ、あは《わ》れがりて、来て寝にけり。さてのち、を《お》とこ見えざりければ、女、を《お》との家にいきてかいまみけるを、を《お》とこほのかに見て、

ももとせにひととせたらぬつくも髪　我を恋《こう》ふらし面影《おもかげ》に見ゆ

とて、出《い》でたつ気色を見て、むばら、からたちにかかりて、家に来てうちふせり。をとこ《おとこ》、かの女のせしやう《よう》に、忍びて立てりて見れば、女なげきて、寝《ぬ》とて、

さむしろに衣《ころも》かたしきこよひ《い》もや　恋しき人にあは《わ》でのみ寝む

とよみけるを、をとこ《おとこ》、あはれ《われ》と思ひ《い》て、その夜は寝にけり。世の中の例として、思ふ《う》をば思ひ《い》、思は《わ》ぬをば思は《わ》ぬものを、この人は、思ふ《う》をも、思は《わ》ぬをも、けぢめ見せぬ心なむありける。

第九十四段

昔、男ありけり。いかがありけむ、その男すまずなりにけり。のちに男ありけれど、子ある仲なりければ、こまかにこそあらねど、時々ものいひおこせけり。女がたに、絵かく人なりければ、かきにやれりけるを、今の男のものすとて、一日二日《ひとひふたひ》おこせざりけり。かの男、「いとつらく、おのが聞こゆることをば、今までたまはねば、ことわりと思へ《え》ど、なほ《お》人をば恨《うら》みつべきものになむありける」とて、ろうじてよみてやれりける。時は秋になむありける。

秋の夜《よ》は春日《はるび》忘るるものなれや　霞《かすみ》に霧や千重《ちえ》まさるらむ

となむよめりける。女、返し、

千々《ちぢ》の秋ひとつの春にむかはめや　紅葉《もみじ》も花もともにこそ散れ

（出典：『伊勢物語　上・下　現代語訳付きKindle版』上妻純一郎・翻訳）

●ウイットに富んだ恋のかけひき

『伊勢物語』は歌物語です。歌と散文から成り立っている物語です。多くの章段が「昔、男ありけり」で始まることでも有名です。男女の贈答歌が、物語の主軸となります。

まず、最初の第二十段です。

昔、宮仕えをしていた男が、都に帰る途中、三月なのに紅葉がとても風情ある様子なので、その枝を手折って、大和にいる女に送りました。

「貴女のために手折ったこの枝は、春と言うのに秋のように紅葉していることです」（上妻純一郎訳、以下歌の訳同）と歌って送るとその返事は、

「いつの間に（このかえでのように）心変わりされたのでしょうか。あなたの里には春はなくて秋（飽き）ばかりなのですね」というものでした。

男は、春に紅葉しているかえでの葉を美しいと思って女性に送ります。ところが、受け取った女性は秋と飽きをかけて返歌を送ります。ちなみに、このような歌に「秋」という言葉

は、禁物だそうです。男性の想いは女性に素直に届かなかったのか、それとも「秋」を使った二人のジョークのやり取りなのかは不明です。いずれにしても、このように言葉を巧《たく》みに使った遊び心ある往復書簡はウイットに富んで見事です。

次に、第六十三段は、「つくも髪の老女」としても知られる作品です。

昔、ある女が心に情けのある男に会いたいという思いを子どもたちに話すと、三男が在五中将にその話を伝えます。すると在五中将は、その母を不憫《ふびん》に思って女と添い寝をします。その後、男が来なくなると、女は男の家に行ってのぞき見しますが、男はそののぞき見している女を見て歌を詠《よ》みます。

「百歳に一歳足らぬくらいの髪の白い女が、私のことを恋しく思っているようだ。その人が面影に見える」

男が出発しようとする様子を見て、女は家に帰って臥《ふ》せってしまいました。今度はその女の様子を男がのぞき見します。そのとき女は、嘆いて寝ながら次の歌を詠みます。

「筵（むしろ）に衣を片方だけ敷いて、今夜も恋しい人に逢えないで一人寝ることだ」

男はかわいそうに思って、その夜だけ共寝をしてやりました。この男は、自分が好きとも思っていない人でも、相手を思うやさしい心があったのでした。

「つくも髪」とは、老女の白い髪を言います。つくもという水草に似ているということではつくもと読む）と、こちらもかけ言葉が入っています。

「つくも髪」と言われていますが、この短歌では、百歳に一歳足りない、九十九歳（九十九
　他の方の現代語訳も拝読しましたが、訳者によって使う言葉が異なります。上妻純一郎氏の訳は、「添い寝」「共寝」という言葉を使っていますが、他には「女と寝た」と書いてあるものもありました。「女と寝る」という言葉は、現代だと男女の関係を露骨に表す言葉として使われています。「添い寝」だと、そっと寄り添う情愛が感じられる表現なので、上妻氏の訳を参考とさせていただきました。「中将は女と寝た」というのと「中将は女と添い寝した」とではイメージが違ってきませんか。「寝る」にもいろいろな言葉・解釈があり、古典の難しいところです。

　そして第九十四段です。

　昔、男がいました。どうしたことか、男は女の家に通わなくなりました。それでも二人のあいだには子どもがいたので、時々男は女に手紙を書いていました。女は、絵を描く人だったので、男は女に絵を描いてほしいと書きました。ところが、女には別の男ができていましたので、その返事を書きませんでした。すると男は、皮肉を交えてこのような歌を女に送ります。

「秋の夜になると、春の日のことは忘れてしまうものなのですね。春の霞よりも秋の霧のほ

うが千倍も優っているのでしょうか」（今のお相手の方が素晴らしくて、私のことなんか忘れてしまったのですね）。それに対して女の返事は、

「千の秋でも一つの春に対抗できましょうか。けれど、秋の紅葉も春の花も共に散ってしまうことに変わりありません」というものでした。

女性の歌は、今の男よりあなたのほうが素敵ですが、どちらも当てになりませんということを言っています。

帰ってこない夫を見限り、新しい男とつきあっている女。女は切り替えが早いけれど、男のほうは未練があるのですね。手紙を寄こしたり、絵を描いてくれと頼んだりして、女性と接触しようとします。そんなやり取りも、歌で交わすと、生々《なまなま》しさが消えて、風流な感じがするものです。

『伊勢物語』は、このような男女の物語が多数収められています。現代語訳で物語を理解した上で古典を音読すると、読みやすくなり、古文の響きを楽しめることと思います。

文字《もじ》に対《たい》する敏感《びんかん》　久保田万太郎《くぼたまんたろう》

此頃《このごろ》の発句《ほっく》を作る人ほど、文字に対して敏感を欠いているものも少なかろう。

文字に対する敏感――

ここに一つの句があるとする。

その句の存在は、耳に聞く前に、まずそれが眼に訴えられるものである事を考えなければならない。

その眼にうったえられる場合、その文字を選ばない事によって、其《そ》の句の持っているものを――感じをハッキリ伝えることの出来ないことが屡々《しばしば》ある。

趣向《しゅこう》がよくってもそれはいい句とはいえない。

調子がよくってもそれはいい句とはいえない。

出来上《あが》った一句の、それを纏《まと》めている文字が、読む人の眼にどんな感じをあたえるか、果《はた》してその句の持っているものをハッキリ伝えているか、そこまで考えなければ本当ではない。

たとえば、此頃の人々がよく使う「陽」と云《い》う文字である。

誰が使いはじめたのかは知らない。云うところの新《あた》らしい人たちのうちの誰かが、今迄《いままで》使われて来た「日」と云う文字では、はっきり心もちを現わせないと考えたとき、余儀《よぎ》なくそれは使われたものであろう。

だが、一度それが人々の眼にふれると、いかにも新らしい発見ででもあるように、我も我もと猫も杓子《しやくし》も「陽」と云う字を使う。内容にふさわうが、ふさうまいが、そんな事は一向《いっこう》考えずに使う。

いうならば、私は、其の最初に「陽」の字を使った人の心もちさえ疑われる。

古くから発句というものの季題に用いられている文字、すべて調子の低い色の薄い、ある陰影を持った文字ばかり常《つね》に並べられる間《あいだ》にあって、そこに使われた「陽」と云う文字が、どの位あくどく、強く、そうして濁《にご》って居《い》るか分《わか》らない。

――蓋《けだ》し穿《は》きちがいである。

これを翻訳に例をとる。

それは恰《あたか》も彼の、メエテルリンクの「家の内」を、「内部」と訳し、エデキントの「春の目覚め」を「春期発動」と訳し、いいと思っている手合《てあい》である。

発句を作る人は誰も発句と云うものの、持っている本質、味わい、そうした事を、つねに深く考えないではいけない。

もし此《こ》の説《せつ》に首肯《しゅこう》出来ないものがあるならば、私はたやすく、その人を文字に対する敏感を欠いているものと断定すると同時に、発句を作るほんとうの資格のないものと断定することが出来る。

（出典：『日本の名随筆　別巻88　文字』作品社）

●目で見る文字の印象

——このテキストは音読しやすくするために、出典を参考に、新かな表記に変えております。

ここに書かれているように、「日」とするか「陽」とするか。目で見る文字の印象は、だいぶ変わります。明治時代の文学には、漢字の当て字が多く見られます。たいていの場合、作者の意図で選ばれた漢字が使われています。

たとえば「あなた」。「あなた」と口に出して言ってしまうと、それはすべて同じ「アナタ」で、単に相手を指す二人称に過ぎないのですが、それを漢字で書くと「貴方」「貴女」「ア・ナ・タ」「貴下」「貴郎」「貴嬢」「貴様」「貴殿」……。目に入る文字から、その相手をある程度想像することができます。

また、音読をしていると、読み方に悩むことがしばしばあります。小林一茶《こばやしいっさ》の有名な俳句

痩せ蛙　負けるな一茶　是にあり

「是」をどう読むでしょうか。私が学校で習ったのは、「ここ」でした。「ここ」と読むからには、位置的な「ここ」だとばかり思っていました。ところが、近年では「これ」と読むようです。

小林一茶の研究家が「これ」と読み仮名を振ったことから、以来学校では「これにあり」と読ませているそうです。

「これ」と読むことによって、位置的なものではなく、もっと深いところに触れるような感じがしてくるから不思議です。

中学生の頃、「永遠」を「エイエン」ではなく「トワ」と読むことを知り、そう読むことによって大人の階段をのぼったような気になって、「トワ」をやたらに使っていた時期がありました。

漢字は音に変換されたときにも、イメージを大きく変えるものです。

言葉は文字によってイメージするものも変わります。「檸檬」と言ったら梶井基次郎《かじいもとじろう》で、「レモン」といえば、高村光太郎《たかむらこうたろう》の「レモン哀歌」が想像されます。「薔薇」という文字から受ける印象と「バラ」では、違います。「憂鬱」は「ユーウツ」と書くとそれほど深刻ではなく、画数の多い「憂鬱」で表すと、ごちゃごちゃしたものが絡み合った気持ちがこの漢字に表れているような印象を受けます。

書き手は、文字に対して敏感であるべきで、文字から受ける印象も計算して言葉選びをすれば、表現の幅は広がります。

漢字は目で見て一興、声に出して読んで一興。漢字の奥は深いのです。

第3章　立ちどまるとき

風姿花伝第一《ふうしかでんだいいち》　年来稽古条々《ねんらいけいこのじょうじょう》

二十四《にじゅうし》、五《ご》

このころ、一期《いちご》の芸能《げいのう》の定《さだ》まる初めなり。さるほどに、稽古《けいこ》の堺《さかい》なり。声もすでに直《なお》り、体《てい》も定まる時分《じぶん》なり。されば、この道に二つの果報《かほう》あり。声と身《み》なりなり。これ二つは、この時分《じぶん》に定まるなり。年盛《としざか》りに向《むか》ふ《う》芸能の生《しょう》ずる所なり。さるほどに、外目《よそめ》にも、すは上手《じょうず》出《い》で来たりとて、人も目に立つるなり。本《もと》、名人などなれども、当座《とうざ》の花に珍《めずら》しくして、立合勝負《たちあいしょうぶ》にも一旦《いったん》勝つ時は、人も思《い》ひ上げ、主《ぬし》も上手と思《い》ひ初《し》むるなり。これ、かへ《え》すがへ《え》す、主のため仇《あだ》なり。これも誠《まこと》の花には非《あら》ず。年の盛《さか》りと、見る人の、一旦の心の珍しき花なり。真《まこと》の目利《めき》きは見《み》分《わ》くべし。

このころの花こそ初心《しょしん》と申すころなるを、極《きわ》めたるやう《よ》に主《ぬし》の思ひ《い》て、早《は》や、申楽《さるがく》にそばみたる輪説《りんぜつ》をし、至りたる風体《ふうてい》をする事、あさましき事なり。たとひ、人も褒《ほ》め、名人などに勝つとも、これは、一旦珍しき花なりと思ひ《い》悟《さと》りて、いよいよ、物まねをも直《すぐ》にし定《さだ》め、なほ《お》、得たらん人に事を細《こま》かに問ひ《い》て、稽古をいや増しにすべし。されば、時分《じぶん》の花を誠の花と知る心が、真実の花になほ《お》遠ざかる心なり。ただ、人ごとに、この時分の花に迷ひ《い》て、やがて、花の失《う》するをも知らず。初心と申すはこのころの事なり。

一《ひとつ》、公案《こうあん》して思ふ《う》べし。我が位《くらい》のほどをよくよく心得《こころえ》ぬれば、それほどの花は、一期《いちご》失《う》せず。位《くらい》より上の上手《じょうず》と思へ《え》ば、本《もと》ありつる位《くらい》の花も失《う》するなり。よくよく心得《こころう》べし。

五十有余《ごじゅうゆうよ》

このころよりは、おほかた、せぬならでは手だてあるまじ。「麒麟《きりん》も老いては駑馬《どば》に劣《おと》る」と申すことあり。さりながらまことに得たらん能《のう》者《じゃ》ならば、物数《ものかず》はみなみな失《う》せて、善悪《ぜんあく》見どころは少なしとも、花は残るべし。

亡父《ぼうふ》にて候《そうら》ひし者《もの》は、五十二と申しし五月十九日に死去せしが、その月《つき》の四日《よっかのひ》、駿河国浅間《するがのくにせんげん》の御前《おんまえ》にて法楽《ほうらく》つかまつり、その日の申楽《さるがく》、ことに花やかにて、見物《けんぶつ》の上下《じょうげ》、一同に褒美《ほうび》せしなり。およそそのころ、物数《ものかず》をばはや初心《しょしん》に譲《ゆず》りて、やすきところを少《すく》な少《すく》なと色《いろ》へてせしかども、花はいや増《ま》しに見えしなり。

これ、まことに得《え》たり花なるがゆゑ《え》に、能《のう》は、枝葉《えだは》も少なく、老木《おいき》になるまで、花は散《ち》らで残りしなり。これ、目《ま》のあたり、老骨《ろうこつ》に残りし花の証拠なり。

（出典：『風姿花伝』野上豊一郎・西尾実校訂　岩波文庫）

●年齢に応じた初心の心得

世阿弥（世阿弥陀仏）は、室町時代の猿楽師《さるがくし》でした。猿楽（世阿弥は申楽と表記していた）とは、神・仏の祭礼に関わる神・仏事です。『風姿花伝』序によると「推古《すいこ》天皇の代に聖徳太子が秦河勝《はたのかわかつ》に命じて、一つは世の中が安穏であるように、一つは人々がよろこび楽しむように、六十六曲の楽曲を奏し、歌を歌って、猿楽（申楽）と名付けて以来、遊宴を花鳥風月でかたどりいろどった神・仏事」（『風姿花伝』佐藤正英校注・訳　ちくま学芸文庫）とあります。『風姿花伝』は、世阿弥が父の観阿弥《かんあみ》から受けついだ猿楽の奥義《おうぎ》を、子孫に伝えるために書きのこしたものです。この中の「奥義云《おうぎにいわく》」には、「観衆の好みに応じて、近江《おうみ》猿楽能だけでなく、田楽能の舞や姿かたちをも取り入れなければならない」（前掲書）と書かれています。このような秘伝が、私たちが現在知るところの能へとつながっていくのです。

さて、ここに掲載した「二十四、五」ですが、ここに初心について書かれています。他人から上手と称賛され、人目に立つこともある。名人と呼ばれるような人に勝ったりすることもある。そのため本人は上手だと思いこんでしまうが、それは年齢の盛りとみる人の物珍しさからであって、まことの花ではない。

この時分の花に迷っていると、その花はすぐに消えてしまう。初心というのは、このころのことを言うのである。つまり、初心と言うのは、芸を習い始めたころではなく、自分の芸を他人から褒められてきたころの志のことを言うのです。褒められてもうぬぼれず、自分の芸の到達度を心得て、勘違いしないようにしなさいということなのです。

世阿弥の『花鏡《かきょう》』には、「是非の初心忘るべからず」「時々の初心忘るべからず」「老後の初心忘るべからず」と、その年齢に応じて「初心忘るべからず」と伝えています。

「一、是非《ぜひ》の初心を忘るべからずとは、若年《じゃくねん》の初心を不忘《わすれず》して、身に持ちて在《あ》れば、老後にさまざまの徳あり。（中略）

時々《じじ》の初心を忘るべからずとは、是《これ》は、初心より、年盛《としざか》りの比《ころ》、老後に至るまで、其時分《そのじぶん》時分の芸曲の、似合たる風体《ふうてい》をたしなみしは、時々《じじ》の初心也。

一、老後の初心を忘るべからずとは、命には終りあり、能には果てあるべからず。その時分時分の一体一体《いっていいってい》を習ひわたりて、又老後の風体に似合事《にあう》を習《ならう》は、老後の初心也」

（『花鏡』奥段《おくのだん》――日本古典文学大系65『歌論集　能楽論集』久松潜一・西尾實校注、岩波書店）

年来稽古条々《ねんらいけいこのじょうじょう》の最後は、父親の観阿弥が亡くなった五十代となっています。これが、老後の初心です。命に限りはあるけれど、能には終わりはない。年老いてもあきらめず、その年齢に合ったことを習いつづけることが大事であるということを言っています。

それが『風姿花伝』では、「これ、まことに得たり花なるがゆゑ《え》に、能は、枝葉《えだは》も少なく、老木《おいき》になるまで、花は散らで残りしなり。これ、目《ま》のあたり、老骨《ろうこつ》に残りし花の証拠なり」という言葉で表されています。

世阿弥は、秘伝を伝えたかった自分の子どもに先立たれ、80歳くらいまで生きていたということです。その年齢まで『風姿花伝』を書いていたら、どんなことが書かれたのか、読んでみたいものです。

ちなみに、「初心忘るべからず」という言葉はもともと中国の故事にあり、それを世阿弥が用いたものと思われます。華厳経《けごんきょう》にある「不忘初心、方得始終（初心を忘れずにいてこそ、良い結果が得られる）」という言葉がもとになっているようです。

中国の習近平氏が北京に建てた中国共産党歴史展覧館の頭には「不忘初心　牢記使命」という8文字があるそうですが、その場合の初心は習近平氏の初心であり、初心は人によって異なるところにあるということだそうです。


（参考文献：『すらすら読める風姿花伝』林望　講談社＋α文庫）

病床生活《びょうしょうせいかつ》からの一発見《いちはっけん》

萩原朔太郎《はぎはらさくたろう》

病気というものは、私にとって休息のように思われる。健康の時は、絶えず何かしら心に鞭《むち》うたれる衝動を感じている。不断《ふだん》に苛々《いらいら》して、何か為《し》ようと思い、しかも何一つ出来ない腑甲斐《ふがい》なさを感じている。毎日、私は為《な》すべき無限の負債《ふさい》を背負ってる。何事かを、人生に仕事しなければならないのだ。私が廃人《はいじん》であり、穀《ごく》つぶしでないならば、私は何等《なんら》か有意義《ゆうぃぎ》の仕事をせねばならない。所が私という人間は、考えれば考えるほど、何一つ才能のない、生活能力の欠乏《けつぼう》した人間なのだ。文学の才能すらも、私には殆《ほと》んど怪《あや》しいのだ。

私は駄目《だめ》だ！　この意識が痛切《つうせつ》にくるほど、自分を陰鬱《いんうつ》にすることはない。結局して、自分は一個《いっこ》の廃人にすぎないだろうということが、厭《いや》らしい必然感で、私の心を墓穴の底にひきずり込む。しかもそれが、殆んど或《あ》る時は毎日なのだ。私はこの苦痛をまぎらすために、どうしても酒を飲まずに居《い》られないのだ。しかも酒を飲むことから、一層《いっそう》悲痛になり、絶望的になってしまう。私は近頃、或る女流詩人の詩集の会で、侮《ぶ》辱《じょく》された一婦人のために腹を立て、悲しくなって潸然《さんぜん》と泣いてしまった。何者にもあれ、人を侮辱することは我《わ》れを侮辱することになるのだから。

所が病気になると、こうした生活焦燥《しょうそう》が全《まった》くなくなり、かつて知らない静かな澄《す》んだ気分になれる。なぜだろうか？　病気は一切を捨ててしまうからだ。私はこの二月《にがつ》以来、約二ケ月《にかげつ》の間も病気で寝床《ねどこ》に臥通《ふせどお》しだ。初めの間、さすがに色々《いろいろ》な妄想《もうそう》に苦しめられた。だがしまいには、全く病床生活に慣れてしまい、全く何事も考えなくなってしまった。病気の時は、人はただ肉体のことを考える。健康が、少しでも早く回復し、好きな食物が食《く》え、自由な散歩が出来たらば好《よ》いと思う。病気の時ほど、人は寡欲《かよく》になることはない。私に水とパンと新鮮な空気を与えよ。幸福は充分だとエピクロスが言った。病気は、丁度《ちょうど》そういう寡欲さで、人をエピクロス的の快楽主義者にする。何の贅沢《ぜいたく》の欲望もない。普通の健康と自由さえあるならば、街路に日向《ひなた》ぼっこをしている乞食《こじき》さえも羨《うらや》ましいのだ。

何よりも好いことは、病気が一切《いっさい》をあきらめさせてくれることだ。病気の時には、一切のゾルレンが消えてしまう。「お前は病気だ。肉体の非常危期《きき》に際している。何よりも治療が第一。他は考える必要がなく、また況《いわん》やする必要がない。」と言う、特赦《とくしゃ》の休日があたえられてる。それの意識が、すべての義務感や焦燥感《しょうそうかん》から、公《おおやけ》に自己を解放してくれる。病気であるならば、人は仕事を休んで好いのだ。終日《しゅうじつ》何も為《し》ないでぶらぶらとし、太々《ふてぶて》しく臥ていた所で、自分に対してやましくなく、却《かえ》って当然のことなのだ。無能であることも、廃人であることも、病気中ならば当然であり、少しも悲哀や恥辱《ちじょく》にならない。

（出典：『日本の名随筆28・病』作品社）

●病気になってはじめて気づくこと

――このテキストは音読しやすくするために、新かな表記にしました。

失ってはじめてわかるありがたみというものがあります。その一つが、健康です。

私は、フジテレビ時代に声を失ったことがあります。入社４年目の暮れのことでした。年末特番の収録があり、その日は朝からリハーサル。そして、そのまま３時間にわたる収録に入る予定でした。ところがリハの終わりかけで、突然声が出なくなってしまったのです。

呼吸はできるけれど、声がまったく出ない。スタッフが薬局に走って喉の薬や吸入器を買ってきてくれたのですが、私の喉はうんともすんとも反応しません。自分でもはじめての喉の違和感に異常だと気づきました。声は出したくても出ないのに、涙は止めたくてもあふれ出てきました。翌日病院に行くと、声帯結節と疲労とストレスからくる声帯の異常で、２週間の安静となり、入社後はじめて長く仕事を休むことになりました。

思わぬ自宅待機の休みとなり、いろいろと考えるようになりました。番組制作に迷惑をかけてしまったことへの申しわけなさと、自分の体調の不安で押しつぶされそうになりながら、私はアナウンサーという職業を今後も続けられるのだろうか、私には、アナウンサーは向いていないんじゃないかと考えるようになったのです。

萩原朔太郎が「初めの間、さすがに色々な妄想に苦しめられた」と書いているように、病気になった最初はきっと誰でも苦しむものなのでしょう。そして、それをあきらめると、別の生き方が見えてくるものなのかもしれません。私は幸いなことに2週間で声は出るようになり、職場にも復帰しました。

私はこのとき、声を失ってはじめて健康であることのありがたさを知りました。また、忙しくて時間がないのはそれなりにつらいことかもしれないけれど、時間があることでかえって余計なことを考えてしまうというやっかいな部分も知りました。

失声した翌年、結婚を機にフジテレビを退社しました。在職中は休みが欲しいと思っていたのに、いざ会社勤めがなくなり行くところがなくなると、毎日やることがなく暇で暇で仕方がない。おまけに妊娠中でつわりもひどい。退屈がどれほどつらいものかを知るようになります。

そしてその翌年、出産して5ヵ月目でしたが、私はフリーアナウンサーとして、早朝の帯番組、ＴＢＳの「ビッグモーニング」で生島《いくしま》ヒロシさんのアシスタントを担当させていただくことになります。

授乳しながら朝4時起きの仕事でしたが、その忙しさは、やることのないつらさに比べたら、ずっと楽しくやりがいのあることでした。もちろん、周囲の協力がなければできないことでしたが、幸い夫、両親、姉、所属事務所（共同テレビ）、スタッフのみなさん、ベビーシッターさん全員のご理解とご協力があってこそ実現できた仕事でした。

そして、もう一つ病気からの発見があります。長女は幼いときから過敏性腸症候群で、小学校卒業式の直前ではじめて入院しました。過敏性腸症候群はストレスで発症しやすいとのこと。そのとき私の子育てが彼女にストレスを与えていないか振り返り反省し、結果、「子育てのこうあるべき」という呪縛《じゅばく》から解放され、型にはめようとする子育てではなく、子どもの個性を伸ばす子育てに変わりました。

しかし、それから中学校に入っても、長女のストレスによる過敏性腸症候群はよくならず、再び入院します。それを機に、自律神経のコントロールのため、腹式呼吸を使う歌を習ってみないかと長女にすすめたところ、彼女は喜んでボイストレーニングを始めました。

その後、長女の体調はよくなり、音楽を通じて積極的に活動するようになりました。そして音楽大学に進学し、現在はシンガーソングライターの道を歩んでいます。また、次女も体調を崩し長期の入院となったことがあり、その入院経験から医療関係の道を志すようになりました。いずれも、病気が娘たちの転機となった一例です。

ここに掲載したのは「病床からの一発見」の冒頭部分ですが、萩原朔太郎はこのあと「この病気の経験から、私は『無為自然』という哲学の意味を知った」「実に病気の間、私にとって生活の最も平凡無味のことが面白かった」と書いています。

病気はつらいことですが、病床から得ることもあるということに気づかされました。

今昔物語集《こんじゃくものがたりしゅう》 巻第二十八

近衛舎人《このえのとねり》どもの稲荷詣《いなりもう》でに、重方《しげかた》、女にあひ《い》し語《ものがたり》 第一

今は昔、きさらぎの始午《はつうま》の日は、昔より京中《きょうじゅう》に上中下《かみなかしも》の人、稲荷詣でとて参《まい》り集《つど》ふ日なり。

それに、例《いつも》よりは人多く詣《もう》でける年ありけり。其《そ》の日、近衛官《このえつかさ》の舎人《とねり》ども参りけり。尾張兼時《おわりのかねとき》、下野公助《しもつけのきみすけ》、茨田重方《まんたのしげかた》、秦武員《はたのたけかず》、茨田《まんたの》為国《ためくに》、軽部公友《かるべのきんとも》など云《い》ふ《う》、やむごとなき舎人ども、餌袋《えぶくろ》、破子《わりご》、酒など持たせつれて参りけるに、中《なか》の御社《みやしろ》近くなる程《ほど》に、参る人、返る人、様々行きちがひ《い》けるに、えもいは《わ》ずさう《そ》ぞきたる女あひ《い》たり。濃《こ》き打ちたる上着《うわぎ》に、紅梅《こうばい》、もえぎなど重ね着て、なまめかしく歩《あゆ》びたり。

此《こ》の舎人《とねり》どもの来《きた》れば、女立ちのきて、木の本《もと》に立ち隠れて立ちたるを、此の舎人ども、安からず、をかしき事どもを云《い》ひかけて、或《あるい》はうつぶして女の顔を見むとして過ぎもて行くに、重方《しげかた》は本《もと》より、色々《いろいろ》しき心ありける者なれば、妻も常に云《い》ひねたみけるを、さらぬ由《よし》を云《い》ひてすまひ《い》てぞ過ぎける者なれば、重方、中にすぐれて立ちとどまりて、此の女に目を付けて行く程《ほど》に、近く寄りてこまやかに語らふ《う》を、女の答ふ《う》るやう《よ》、「人持ち給《たま》へ《え》らむ人の、行きずりのうちつけ心に宣《のたま》は《わ》む事、聞かむこそをかし《お》けれ。」と云ふ《う》声、極《きわ》めて愛敬《あいきょう》づきたり。

重方がいはく《わ》、「我が君《きみ》我が君、賤《あや》しの者持ちて侍《はべ》れども、しや顔《つら》は猿のやう《よ》にて、心は販婦《ひさめ》にてあれば、去りなむと思へ《え》ども、忽《たちま》ちに綻《ほころ》び縫《ぬ》ふ《う》べき人もなからむが悪《あ》しければ、心づきに見えむ人に見合は《わ》ば、それにひき移りなむと深く思ふ《う》事にて、かく聞《きこ》ゆるなり。」と云へ《え》ば、女、

「これは実言《まこと》を宣《のたま》ふ《う》か。戯言《たわごと》を宣ふ《う》か。」と問へ《え》ば、重方、「此の御社の神も聞《きこ》し召《め》せ。年来《としごろ》思ふ《う》事を、かく参る験《しるし》ありて、神の給ひ《い》たると思へ《え》ば、いみじくなむ嬉しき。さて御前《おまえ》は寡婦《やもめ》にておは《わ》するか。亦《また》いづくにおは《わ》する人ぞ。」と問へ《え》ば、女、「これにも、させる男も侍《はべ》らずして、宮《みや》仕《づかえ》をなむせしを、人制せしかば参らずなりしに、其《そ》の人、田舎にて失せにしかば、此の三年はあひ《い》たのむ人もがなと思ひ《い》て、此の御社にも参りたるなり。まことに思ひ《い》給ふ《う》事ならば、在所《ありか》をも知らせ奉《たてまつ》らむ。いでや、行きずりの人の宣は《わ》む事をたのむこそをこなれ。早うおは《わ》しね。丸《まろ》もまかりなむ。」と云ひ《い》て、ただ行きに過ぐれば、重方手を摺《す》りて額《ひたい》にあてて、女の胸を摺るばかりに烏帽子《えぼし》をさしあてて、「御神助け給へ《え》。かかるわびしき事な聞かせ給ひ《い》そ。やがてこれより参りて、宿には亦足《またあし》踏《ふ》み入れじ。」と云ひ《い》て、うつぶして念じ入りたるもとどりを、烏帽子ごしに此の女ひたと取りて、重方が頬を山も響くばかりに打つ。其《そ》の時に重方、あさましくおぼえて、「こはいかにし給《う》ふぞ。」と云《い》ひて、あふのきて女の顔を見れば、早《はよ》う我《わ》が妻の奴《やつ》の謀《はか》りたるなりけり。

（出典：『今昔物語集　本朝世俗部　下巻』佐藤謙三校注、角川ソフィア文庫）

●自分の妻をナンパした男の物語

『今昔物語』は、成立年代と作者が不詳です。平安時代末期の説話集とみられています。天《てん》竺《じく》（インド）、震旦《しんたん》（中国）、本朝《ほんちょう》（日本）の三部で構成されています。「今は昔」で始まることから、この名前がついたともいわれています。ここに掲載したのは、本朝世俗部に収められていたもので、「初午（はつうま）」として知られている物語です。

物語のあらすじをご紹介します。

二月の初午の日に近衛の舎人たちが伏見の稲荷社に、お参りしたときのこと。たいへんきれいに着飾った女性に出会いました。重方は元来女好きですから立ち止まってこの女性を口説きます。女性は、「奥さんのいる人の言うことを聞くのはおかしい」と言いますが、その声が実に魅力的です。そこで重方は、妻はいるが猿そっくりの顔で、下劣な心なので離縁しようかと思っている。でもほころびを縫う者がいないと都合が悪いので、いい人に出会ったら乗り換えようと思っていたと言います。女性は独身かと聞かれ、夫は亡くなったと答えて重方から離れようとすると、重方は、今日は家に帰らずあなたの家に行くと言いました。とそのとき、女性は重方の髷《まげ》をつかんで、重方の頬を山にも響くほどひっぱたきました。重方がびっくりして女の顔を見ると、なんと自分の妻だった……という話です。

これには続きがあり、この一件のあと重方が妻のご機嫌をとって仲直りしたものの、重方が「おまえも重方の妻だから、あんな大したことができたのだね」というと、「おだまり！この馬鹿者。自分の妻を見分けられず馬鹿をさらし、そのあげく人に笑われるなんて、あきれるね」と妻にも笑われます。

多くの人が行き交う中で目を引くほど着飾った女性がいてその女性に声をかけたということなので、つまりここでは着物ばかり見て顔を見ていないのでしょう。声をかけて会話をしているのに自分の妻と気がつかないということは、普段から妻とはあまり会話をしていなかったのか、妻が普段夫と話すときの声ではなく、気取った余所《よそ》行きの声を出していたのか。実に魅力的な声とあるので、おそらく後者で、妻はわざと魅力的な声を出したのでしょう。

しかし、妻は猿顔で下品な女性と言われたのに、その場でキレルことなく演技を続けるとは、かなりしたたかと思われます。いい着物を着て着飾れたのも、重方のおかげだろうと言われますが、もしかしたら、そのときすでに重方への愛情は冷めていて、裕福な暮らしのために重方と生活を続けていたのかもしれません。

この物語の結末に、重方の死後、盛りの年配になってから別の人の妻になったということが書き添えられていることでも、この女性のしたたかさや強さが表れています。

この話は、女性目線で書かれた気がしてなりません。当時、浮気をしている男性は多くいたでしょう。その陰で、この物語に拍手した妻も多くいたのではないでしょうか。平安時代は男社会のように見えて、実は家では女性のほうがずっと大人で、賢くて、強かったのではないかと思えてきます。


（現代語訳参考：『日本の古典をよむ⑫　今昔物語集』馬淵和夫　国東文麿　稲垣泰一校訂・訳　小学館）

打《うち》あけ話《ばなし》（講演《こうえん》）

宮本百合子《みやもとゆりこ》

作家で講演好きというたちの人は、どっちかといえば少なかろう。私には苦手《にがて》である。テーブル・スピーチでも、時と場合とでは相当に閉口《へいこう》する。昔は、大勢のひとの前に自分一人立って物をいうなどということはとても出来なかった。体じゅう熱くなるばかりで、人の顔や声がぼーっと遠のいたようになるのであった。

人前で物をいうようになったきっかけは、奇妙なことにモスクワにいた時である。三月の或《あ》る記念日に、或るクラブへ行った。皆の腰かけている平土間《ひらどま》の座席におられるものと思いこんで行ったら、その横を通りすぎて、計らずも数人の人の並んでいる演台の上へ案内されてしまった。裏のところで案内して来たひとに、私は何も話しに来たのではないんですからと再三たのむのだけれども、きっと日本の女を、皆の見えるところへ出したいと思ったのだろう。私は万策《ばんさく》つきた形で、小高い台の上に並んでかけた。その時話していた人のその日の記念日のわけを説明する講演が終《おわ》ったら、演台の下にひかえている音楽隊が高らかに、あっちの国歌になっている歌の一節を奏《そう》した。そしたら、司会者が、いきなり、今度は日本の女の人が皆に挨拶をするからといってしまった。

私は通訳をしてくれる人もその席には持っていないのだから途方に暮れ、到頭《とうとう》立って、私はロシア語はまだ話せない、モスクワへ三月前《みつきまえ》に来たばっかりです、私のいうこと、分《わか》りますか？　そういう調子で十言《とこと》か二十言《ふたとこと》話した。出来ない言葉を対手《あいて》に分らせようとする熱中から私は不思議にその時聴衆の顔がはっきり見えた。私が「分りますか」というと「分る、心配するな」といってくれる髯《ひげ》の爺《じい》さんの笑っている顔もはっきり、よろこびをもって認めることが出来た。

　これは小さい経験であるが私には教訓となった。自分に分って貰《もら》おうと思う誠意と話したいことがあり、聴衆を信ずれば、人前で話すことも恐《こわ》くはない。そういうことが会得《えとく》された。それ以来、必要な時には、私は聴衆がそこに来ている心持《こころもち》の或る面と自分の心持の或る面との接触を信じて講演をするようになった。

　窪川稲子《くぼかわいねこ》と一緒にそういう場所に出ることが一度ならずあった。彼女も講演は苦手の方《ほう》で、壇《だん》に上《のぼ》るまでも、上ってからもどこか困ったような風《ふう》をしている。いよいよ自分の番が近づくと、「何だか寒いねえ、私、一寸《ちょっと》おしっこに行って来る」暫《しばら》くすると私も何だか落付《おちつ》かなくなって「本当に寒いんだね、今夜は」と出かける。しまいには、二人連立《ふたりつれだ》って「なんだろう、私たち！　本当に寒いのかしら」「怪しいね」等《など》とハアハア笑いながら、やっぱりじき笑うのをやめ、生真面目《きまじめ》な顔になってそれぞれドアの中に姿をかくすのであった。

（出典：『宮本百合子全集　第十七巻』新日本出版社）

●人前で話すときは誰でも緊張する

宮本百合子の講演でのエピソードが書かれています。人前で話すことの、緊張感が伝わってきます。突然スピーチを求められたときには、焦《あせ》りや戸惑い、混乱が一気に押し寄せたのではないでしょうか。そのとき、彼女の心に芽生えたのが、伝えようとする気持ちでした。「自分に分って貰おうと思う誠意と話したいことがあり、聴衆を信ずれば、人前で話すことも恐くはない」と書いています。

私もここに書かれていることに同感で、何よりも「伝えたいこと」があり、相手に「伝えたいという思い」がなければ、スピーチは成り立ちません。これは、スピーチのみならず、朗読やアナウンサーのニュース読みやリポートでも同じです。ただ文字を音声に変換するだけなら、AIだってできます。伝えたい気持ちがあるからこそ、相手に伝わるのです。

実は私もアナウンサーでありながら、大勢の人の前で話すのは苦手で、毎回緊張します。アナウンサーになりたてのころは、大きなパーティーの司会などで、大きな失敗を繰り返してきました。よく、「あがり症なんですが、どうしたら人前であがらずに話すことができますか」という質問を受けます。そのとき思い出すのが、アナウンサーの先輩に言われた言葉「緊張はいいが、あがるのはダメだ」「あがらないためには、自分に自信を持て」。

たしかに、自分に自信がないと、失敗する確率は高くなります。では、どうしたら自分に自信が持てるようになるか。そのためには、「練習」しかありません。

これは舞台で演じる役者さん、競技大会に出場する選手のみなさん、人前で仕事をする人の多くが実感しているところでしょう。あとは、「場慣れ」です。これ以外にあがり症を簡単に克服できる方法があったら、私も教えていただきたいものです。

このエッセイの最後は、トイレのシーンで締めています。緊張するとトイレが近くなるのはよくあることです。そして口の中が乾くこともあります。緊張しやすい人は、トイレを済ませ、歯磨きをするなどして、万全の体調で臨《のぞ》みましょう。

長恨歌《ちょうごんか》　白居易《はくきょい》

漢皇《かんこう》　色《いろ》を重《おも》んじて傾国《けいこく》を思《おも》ふ《う》
御宇《ぎょう》多年《たねん》　求《もと》むれども得《え》ず
楊家《ようか》に女《じょ》有《あ》り　初《はじ》めて長成《ちょうせい》す
養《やしな》は《わ》れて深閨《しんけい》に在《あ》り　人未《ひといま》だ識《し》らず
天生《てんせい》の麗質《れいしつ》　自《おのずか》ら棄《す》て難《がた》く
一朝《いっちょう》　選《えら》ばれて君王《くんおう》の側《かたわら》に在《あ》り
眸《ひとみ》を廻《めぐ》らして一笑《いっしょう》すれば百媚《ひゃくび》生《しょう》じ
六宮《りくきゅう》の粉黛《ふんたい》　顔色《がんしょく》無《な》し
春寒《はるさむ》くして浴《よく》を賜《たま》ふ《う》　華清《かせい》の池《いけ》
温泉《おんせん》　水滑《みずなめら》かにして凝脂《ぎょうし》を洗《あら》ふ《う》

侍児《じじ》　扶《たす》け起《おこ》せば嬌《きょう》として力無《ちからな》し
始《はじ》めて是《こ》れ新《あらた》に恩沢《おんたく》を承《う》くるの時《とき》

（中略）

情《じょう》を含《ふく》み睇《てい》を凝《こら》して君王《くんおう》に謝《しゃ》す
一別《いちべつ》　音容《おんよう》　両《ふた》つながら渺茫《びょうぼう》
昭陽殿裏《しょうようでんり》　恩愛《おんあい》絶《た》え
蓬萊宮中《ほうらいきゅうちゅう》　日月《じつげつ》長《なが》し
頭《こうべ》を廻《めぐら》して下《した》　人寰《じんかん》の処《ところ》を望《のぞ》めば
長安《ちょうあん》を見《み》ず　塵霧《じんむ》を見《み》る
唯《ただ》　旧物《きゅうぶつ》を将《もっ》て深情《しんじょう》を表《あらわ》し
鈿合金釵《でんごうきんさい》　寄《よ》せ将《も》ち去《さ》らしむ
釵《さい》は一股《いっこ》を留《とど》め　合《ごう》は一扇《いっせん》

釵《さい》は黄金《おうごん》を擘《さ》き　合《ごう》は鈿《でん》を分《わか》つ
但《ただ》　心《こころ》をして金鈿《きんでん》の堅《かた》きに似《に》しめば
天上人間《てんじょうじんかん》　会《かなら》ず相見《あいみ》ん

別《わかれ》に臨《のぞ》んで慇懃《いんぎん》に重《かさ》ねて詞《し》を寄《よ》す
詞中《しちゅう》　誓《ちか》い有《あ》り　両心《りょうしん》知《し》る
七月七日《しちがつしちじつ》　長生殿《ちょうせいでん》
夜半《やはん》　人《ひと》無《な》く　私語《しご》の時《とき》
天《てん》に在《あ》りては願《ねが》わくは比翼《ひよく》の鳥《とり》と作《な》り
地《ち》に在《あ》りては願《ねが》わくは連理《れんり》の枝《えだ》と為《な》らん
天長《てんなが》く地久《ちひさ》しきも時有《ときあ》りてか尽《つ》く
此《こ》の恨《うらみ》　綿綿《めんめん》として尽《つ》くる期《き》無《な》からん

（出典：『長恨歌と楊貴妃』近藤春雄　明治書院）

●漢詩を書き下し文で

『長恨歌』は七言百二十句からなる長編の物語です。中国では唐《とう》の時代、日本では平安時代の作品です。作品にあるのは、楊家の女と漢皇とありますが、唐の玄宗《げんそう》と楊貴妃《ようきひ》がモデルだといわれています。

漢詩をそのままだと読みづらいので、ひらがなを混ぜた書き下し文で掲載しました。題名の「恨」という言葉が気になりますが、これは「悲しみ」「嘆き」という意味に近いもので、現在でいう不満や怒り、怨念《おんねん》の意味の恨みではありません。歌の最後に「此の恨綿綿として尽くる期無からん」とこの「恨」の気持ちが綿々と長く続くことが書かれています。そこから「長恨歌」と名づけられたのでしょう。

ここでは、最初の十二句と最後の二十句を掲載しました。物語のあらすじです。

漢皇（天子）は、美人が好きで探していたところ、楊家の娘と出会います。楊家の娘（楊貴妃）は天子の寵愛《ちょうあい》を受けて、一緒に過ごすこととなりますが、楊貴妃と一緒にいる夜の時間が楽しかったのでしょう。天子は朝早くのまつりごとをしなくなってしまいました。

ある日、歌や舞で楽しんでいるとき、進軍の太鼓が聴こえてきます。天子は千乗万騎を引き連れて落ち延びますが、その途中、天子の馬前で楊貴妃は殺されてしまいます。

天子は楊貴妃のことを思って悲しみ続け、断腸の思いです。月日が経ち、都に帰ることができても、昔のままになっている御所には、楊貴妃の思い出が多く、涙を流さないではいられませんでした。

天子は方士に楊貴妃の魂を求めさせることにします。海上に仙山ありと聞いて行ってみると、太真《たいしん》という美しい仙女がいました。その人こそ、楊貴妃だったのです。太真は天子に言葉を残します。「天上にあっては比翼の鳥となり、地上にあっては連理の枝となりたい」と。

天地がいつか滅び尽きるときがあっても、この恨みだけはいつまでも続いて消え去るときがないことだろうと天子は思いました。


悲恋の物語ではありますが、冷めた目で見ると、いろいろ突っこみを入れたくなる作品でもあります。もちろん、これは小説ですので、玄宗皇帝と楊貴妃ということではなく、物語の中の天子と楊家の娘のことで、創作の部分が多いと思われますが、まず、「女は美しくなければいけないのか」という疑問がわきます。

「傾国」という言葉がありますが、君主が心を奪われて国を危うくするほどの美人のことを言います。この場合、どんなに美しい女性でも、女性に罪はありません。君主が、女性にばかりうつつを抜かし、政治をおろそかにしてしまうのが悪いのです。そこまで美女にこだわり、女性好きの君主なら、国民の反乱が起きても仕方がないと思ってしまいます。もし、娘に、君主に政治を頑張らせることができるほどの器量があったなら、こんなことにならなかったかもしれませんが、当時楊貴妃は若く、そんなことは難しかったでしょう。

寵愛を受けた楊貴妃の家族が栄えると、天下中の父母たちは、男を生むのを重んじないで、女を生むのを重んずるようになったというのですから、これも国を危うくする原因となったのかもしれません。女の子を生んで、天子の寵愛を受けることを願うとは、なんとあさましい考えと思ってしまいますが、いつの時代でも玉《たま》の輿《こし》に乗りたがる女性はいるものです。「シンデレラ」の舞踏会に群がる女性たちと同じです。

さて、楊貴妃は、クレオパトラと小野小町《おののこまち》とともに、世界三大美女の一人とされています。この三人、国が違えば顔立ちが違うことは、容易に想像がつきます。一体誰が美人と決めたのでしょう？　実は、この世界三大美女については、日本独自の観点から決めたとの説があります。その三大美女を決めるとき、『長恨歌』に書かれている楊貴妃が美人だったということで、三大美女に選ばれたというものです。

確かに、『長恨歌』を全体通して読むと、これでもかというほど、美しさを表す言葉がちりばめられています。柳のような眉《まゆ》は、美人の象徴だったようで、宛転蛾眉《えんてんがび》とは、蛾の触角のような眉ということです。そして実際の楊貴妃は、かなりふくよかだったとも言われています。美人というのは、時代によっても異なるので、現在の私たちの感覚で想像する美人とは少し異なりそうです。

この物語の最後にある「比翼連理」の「比翼」とは、雌雄それぞれが目と翼をひとつずつもち、二羽が常に一体となって飛ぶという、中国の空想上の鳥のことで、「連理」とは、一本の木の枝が他の木の枝と連なって木目が通じ合っていることを言います。男女の離れがたく仲むつまじいことのたとえとして使われ、結婚式のスピーチなどでこの言葉を使う方も多いのではないでしょうか。

漢詩はわかりづらいのですが、書き下し文だと読みやすくなります。日本で使われている四字熟語は、漢詩に由来するものが多いので、漢字の勉強にもなります。

宇治拾遺物語《うじしゅういものがたり》「日蔵上人《にちぞうしょうにん》、吉野山《よしのやま》にて鬼《おに》に逢《あ》ふ事《こと》」

昔、吉野山《よしのやま》の日蔵《にちぞう》の君《きみ》、吉野の奥に、行《おこな》ひ《い》ありき給《たま》ひ《い》けるに、長《たけ》七尺ばかりの鬼、身の色は紺青《こんじょう》の色にて、髪は火のごとくに赤く、首細く、胸骨《むなぼね》はことにさし出《い》でて、いらめき、腹ふくれて、脛《はぎ》は細くありけるが、この行ひ《い》人にあひ《い》て、手をつかねて、泣くこと限りなし。

「これは何事する鬼ぞ」と問へ《え》ば、この鬼、涙にむせびながら申すやう《よ》、「われは、この四五百年を過ぎての昔人《むかしびと》にて候《そうろ》ひ《い》しが、人のために恨みを残して、今はかかる鬼の身となりて候ふ《う》。さて、その敵《かたき》をば、思ひ《い》のごとくに、取り殺してき。それが子・孫・曾孫《ひこ》・玄孫《やしゃご》にいたるまで、残りなく殺し果《は》てて、今は殺すべき者なくなりぬ。されば、なほ《お》かれらが生《うま》れ変《かわ》りまかるのちまでも知りて、取り殺さんと思ひ《い》候ふ《う》に、つぎつぎの生れ所、つゆも知らねば、取り殺すべきやう《よ》なし。瞋恚《しんい》の炎《ほのお》は、同じやう《よ》に燃ゆれども、敵《かたき》の子孫は絶え果てたり。ただわれ一人、尽きせぬ瞋恚の炎に燃えこがれて、せん方《かた》なき苦をのみ受け侍《はべ》り。かかる心をおこさざらましかば、極楽天上《ごくらくてんじょう》にも生れなまし。ことに恨みをとどめて、かかる身となりて、無量億劫《むりょうおくごう》の苦を受けんとすることの、せん方なく悲しく候ふ《う》。人のために恨みを残すは、しかしながら、わが身のためにてこそありけれ。敵の子孫は尽き果てぬ。わが命はきはま《わ》りもなし。かねて、このやう《よ》を知らましかば、かかる恨みをば、残さざらまし」と言ひ《い》続けて、涙を流して、泣くこと限りなし。そのあひ《い》だに、頭《こうべ》より、炎やう《よ》やう《よ》燃え出《い》でけり。さて、山の奥ざまへ歩《あゆ》み入《い》りけり。

さて、日蔵の君、あはれ《わ》と思ひ《い》て、それがために、さまざまの罪滅《つみほろ》ぶべきことどもをし給ひ《い》けるとぞ。

（出典：新潮日本古典集成『宇治拾遺物語』大島建彦校注　新潮社）

●人を恨むことのつらさ

『宇治拾遺物語』の成立時期は不明ですが、鎌倉時代前期だと推定されています。本の名前は、『宇治大納言物語』に漏れたものを拾い集め、またその後のこともかき集めて『宇治拾遺物語』と名づけられたということです。

仏教説話・世俗説話・民間伝承などが収められていますが、「鬼に瘤《こぶ》とらるる事」は「こぶとりじいさん」として、第四十八段「雀《すずめ》、報恩の事」は「すずめのおんがえし」として、今も昔ばなしとして伝えられています。

さて、今回ここに取り上げたのは、仏教説話です。

昔、吉野山の日蔵上人は、修行中に泣いている鬼に出会いました。その鬼は、ある人に恨みを残して、その敵《かたき》の子、孫、曾孫《ひまご》、玄孫《やしゃご》に至るまでことごとく殺し続けた末、もう殺すべき敵がいなくなったと言います。それでも敵を憎み、恨む気持ちは燃え盛っていて、苦しくて悲しいというのです。

人を恨むことは、わが身に返ってくることだと知っていたら、こんな恨みを残すことはなかっただろうと言って、泣きながら山に帰って行くのでした。そこで、日蔵上人は鬼を憐《あわ》れに思い、さまざまな罪滅ぼしになることをしてやりました。

人を恨むほどの困難に遭遇することはあるでしょう。人を恨みながら生きることはつらいことです。その恨みのやり場がないから、人は苦しむのです。

その恨みの気持ちをどうしたらいいかという具体的な解決策は、ここには書かれていませんが、「人に恨みを残すのは、結局は、わが身に返ってくる」ということが、その教えであります。

人を恨みたくなるような困難に向き合っている人がそばにいたら、その人に同調し敵討ちに加担するのではなく、この上人のように、その人の胸のうちを傾聴し、その人の苦しみを少しでもわかろうとすることが大切なのですね。

停車場《ていしゃば》で感《かん》じたこと　和辻哲郎《わつじてつろう》

　私は思った。私は自分の努力の不足を責《せ》める代わりに、仕事がうまく行かなかったことでイライラする。自分の生活の弛緩《しかん》を責める代わりに自分がより高くならないことでイライラする。そうしてある悪魔の手を、――あるいは不運と不幸を呪《のろ》おうとする。何という軽率《けいそつ》だろう。もしそれが自分から出た事ならば、私はただ首を垂《た》れるほか仕方《しかた》がないではないか。私は自分の不足を憎《にく》んでも自分の運命を憎むべきでない。むしろ自分の不足のゆえに自分を罰《ばっ》した運命に対して心から感謝すべきである。

（中略）

　一つの不幸も必ず何事かを暗示するに相違ない。それは呪わるべきものではなくて、愛せらるべきものである。

で、私は思った。いかなる運命もこれを正面から受けなくてはならない。そうしてそれが自分に必然であったことを愛によって充分根本的に理解しなくてはならない。「こうなるはずではなかった」などと現在のある境遇に反撥心《はんぱつしん》を抱くことは、現実の生《せい》に対するふまじめであり、また現実からの逃避である。そこにはもはや自己の改造や成長の望みはない。我々はただ現在の運命を如実《にょじつ》に見きわめることによって（すでに起こった事に対する謙虚な忍従《にんじゅう》によって）、多産《たさん》なる未来の道をきり開く事ができる。時には過去の改造さえ不可能ではない。

また私は「あの時ああすれば間に合ったのに」と感じた自分の心理について考えた。「あの時」はもう過ぎ去っている。そうして「あの時」には「ああしなかった。」それはもう変更のできない事実である。たとえ「あの時」私が、いずれの行為をも自由に選び得たとしても、私の実行したのはただ一つであった。この一つのほかに事実はない。「あの時ああすれば」という感じは、この事実が必然でなかったと主張するにほかならない。しかし果たしてこの唯一《ゆいいつ》の事実が必然でなかったのか。ほかにも歩《あゆ》まるべき道があったのか。私にはそう思えない。「事件の起こる前には道はない、起こった時にはただ一つの道があるのみだ、」という言葉は、私には動かし難《がた》い真実として響《ひび》く。

しからばこの必然性はどこから来るか。私は思う、我々の意志の関する限りにおいては恐らくそれは我々の性格から来るだろう。「性格は運命だ。」我々はこの運命を脱《のが》れることができない。

（出典：『偶像再興・面とペルソナ　和辻哲郎感想集』講談社文芸文庫）

●運命を考える

「停車場で感じたこと」は、電車に乗り遅れてしまったことから始まります。そこから運命を考え、自分自身の行動を振り返ります。

何か思いがけないことが起こったときに、これはもともとそういう宿命で意味のあることだったのだと考える宿命論、たまたまそうなっただけと考える偶然論、すべては神様が支配していると考える神の支配論など、宗教や人によって多様な考えがあると思います。いずれにしても、起きた事象を自分で受け入れて納得するための考え方です。

たとえば、いいことがずっと続いた後につらいことがあったら、「いい気になっていたからだ」と反省する、または「いい気になってはいけないと、神様が教えてくれた」「いいことはずっと続くものではない。神様は平等に運命を支配しているんだ」といろいろな考え方ができます。自分の気が収まるように、自分が納得できるように、その出来事を受け止められるようにしているのです。

一方、どう考えても納得のいかないこともあります。自分は何もしていないのに、なぜこんなひどい目に遭わなければいけないのかと。そういう場合は、どのように考えても自分の運命を恨むことになるでしょう。

私なりの運命論を述べるなら、偶然起こったことには意味があると考えます。ここでこうなったからには、何か意味があるはずだと考えるのです。それは、転んでもただで起きないという前向きな思考に通じるものです。たとえば、家族の中で、病気で入院したことがないのは私だけです。家族が病気になった運命を恨みたい気持ちもありますが、運命を恨んでいても仕方ありません。逆に自分だけがなぜ健康なのだろうと考えたとき、私が健康なのは、家族の世話をするという使命が私に課せられたのだと思います。私が健康なことは、これも意味がある運命なのだと。

また、フジテレビの入社試験では偶然が重なりました。大学四年生で就職活動が始まっているころ、たまたま友人が大学の就職課に用事があると言ってつきあって行ったそのときに、就職課の掲示板にテレビ局のアナウンサーの募集要項があり、それが目に入って受けたのです。あのとき、友人につきあって就職課に足を踏み入れていなかったら、アナウンサーの募集を知ることもなく、今の私はいません。あれは、運命だったと思える瞬間でした。

心理学には、自分の身に起こったことを自分に都合よく考えることで、心を軽くするという方法があります。それが、私の中でも実行されています。何かあったらその出来事を恨むのではなく、その出来事を自分に都合よく思考を変えるのです。

たとえば、夜中に空腹になってカップラーメンを食べようとしたら、いつもストックしてあるはずのものがなかった。このとき、カップラーメンを食べられなくてイライラし、肝心なときにないことを恨むでしょう。しかし、今カップラーメンがここにないということは、夜中に間食するのは身体によくないからやめなさいということなんだと考えれば、身体にもいいし、あきらめがつき、イライラせずにすみます。

また、私は小さいころ机の角に顔をぶつけて鼻の上、目と目の間に大きな傷をつくりました。これもそのような怪我をした運命を呪っていても仕方ありません。顔に傷がついたものの、失明をせずにすんだことを喜べば気が楽になります。

最近は「親ガチャ」という言葉があるように、子どもは親を選べず、生まれた時点で運命が決まるという考えもあります。虐待や貧困、戦争など、生まれながらにして不幸な環境にいる子どもたちが大勢います。そういう子どもたちに、この運命というものをどのように説明するか。このように、どうしても前向きにとらえることが難しい問題は、これは運命だと片づけず、社会全体で考えていくべき課題なのです。

第4章　人生の四季

二十四節気七十二候《にじゅうしせっきしちじゅうにこう》

立春《りっしゅん》

東風解凍（はるかぜ　こおりをとく）

黄鶯睍睆（うぐいす　なく）

魚上氷（うお　こおりをいずる）

雨水《うすい》

土脉潤起（つちのしょう　うるおいおこる）

霞始靆（かすみ　はじめてたなびく）

草木萌動（そうもく　めばえいずる）

啓蟄《けいちつ》

蟄虫啓戸（すごもりむし　とをひらく）

桃始笑（もも　はじめてさく）

菜虫化蝶（なむし　ちょうとなる）

春分《しゅんぶん》

雀始巣（すずめ　はじめてすくう）

清明《せいめい》
桜始開（さくら　はじめてひらく）
雷乃発声（かみなり　すなわちこえをはっす）
玄鳥至（つばめ　きたる）

穀雨《こくう》
鴻雁北（こうがん　かえる）
虹始見（にじ　はじめてあらわる）
葭始生（あし　はじめてしょうず）
霜止出苗（しもやんで　なえいずる）

立夏《りっか》
牡丹華（ぼたん　はなさく）
蛙始鳴（かわず　はじめてなく）
蚯蚓出（みみず　いずる）

小満《しょうまん》
竹笋生（たけのこ　しょうず）
蚕起食桑（かいこ　おきてくわをはむ）

紅花栄（べにばな　さかう）
麦秋至（むぎのとき　いたる）

芒種《ぼうしゅ》

蟷螂生（かまきり　しょうず）
腐草為蛍（くされたるくさ　ほたるとなる）
梅子黄（うめのみ　きばむ）

夏至《げし》

乃東枯（なつかれくさ　かるる）
菖蒲華（あやめ　はなさく）
半夏生（はんげ　しょうず）

小暑《しょうしょ》

温風至（あつかぜ　いたる）
蓮始開（はす　はじめてひらく）
鷹乃学習（たか　すなわちわざをならう）

大暑《たいしょ》

桐始結花（きり　はじめてはなをむすぶ）

土潤溽暑（つちうるおうて　むしあつし）
大雨時行（たいう　ときどきにふる）

立秋《りっしゅう》

涼風至（すずかぜ　いたる）
寒蟬鳴（ひぐらし　なく）
蒙霧升降（ふかききり　まとう）

処暑《しょしょ》

綿柎開（わたのはなしべ　ひらく）
天地始肅（てんち　はじめてさむし）
禾乃登（こくもの　すなわちみのる）

白露《はくろ》

草露白（くさのつゆ　しろし）
鶺鴒鳴（せきれい　なく）
玄鳥去（つばめ　さる）

秋分《しゅうぶん》

雷乃収声（かみなり　すなわちこえをおさむ）

蟄虫坏戸（むし　かくれてとをふさぐ）
水始涸（みず　はじめてかるる）

寒露《かんろ》

鴻雁来（こうがん　きたる）
菊花開（きくのはな　ひらく）
蟋蟀在戸（きりぎりす　とにあり）

霜降《そうこう》

霜始降（しも　はじめてふる）
霎時施（こさめ　ときどきふる）
楓蔦黄（もみじつた　きばむ）

立冬《りっとう》

山茶始開（つばき　はじめてひらく）
地始凍（ち　はじめてこおる）
金盞香（きんせんか　さく）

小雪《しょうせつ》

虹蔵不見（にじ　かくれてみえず）

大雪《たいせつ》

朔風払葉（きたかぜ　このはをはらう）
橘始黄（たちばな　はじめてきばむ）
閉塞成冬（そらさむく　ふゆとなる）

冬至《とうじ》

熊蟄穴（くま　あなにこもる）
鱖魚群（さけのうお　むらがる）
乃東生（なつかれくさ　しょうず）

小寒《しょうかん》

麋角解（さわしかのつの　おつる）
雪下出麦（ゆきくだりて　むぎのびる）
芹乃栄（せり　すなわちさかう）

大寒《だいかん》

水泉動（しみず　あたたかをふくむ）
雉始雊（きじ　はじめてなく）
款冬華（ふきのはな　さく）

水沢腹堅（さわみず　こおりつめる）
鶏始乳（にわとり　はじめてとやにつく）
（出典：国立天文台暦計算室「暦wiki　七十二候」）

●自然の中に季節を見出す

二十四節気七十二候は古代中国で生まれた暦ですが、日本の気候に合わないということで、天文暦学者渋川春海《しぶかわはるみ》が日本の気候や生物に合わせて改訂、新制七十二候を発表しました。

二十四節は立春から始まっています。立春の「立」は「始まり」を意味します。春分は春の半ばにあたり、春を二分するので春分、秋分も同様。夏至《げし》や冬至《とうじ》は、夏と冬という天地間の二気に至るということです。

七十二候の読み方ですが、もともと中国の言葉ですので、日本語に置き換えると漢字の読み方は何通りかあります。出典にした国立天文台暦計算室も、漢字や読み方については暦や文献によって差異が見られますと断っています。

七十二候を、このように並べて読むと、鳥・魚・虫・そのほかの生き物、そして植物も多くあり、声に出しているだけで、自然が身近に感じられます。特に、花に注目すると、花が開く様子が、それぞれ異なる言葉で表現されているのに気づきます。桜・蓮・菊・山茶は

「開」、牡丹・菖蒲・款冬は「華」、桃は「笑」、紅花は「栄」、金盞は「香」など、花の様子が目に見えるようです。また、生き物の声や自然の音も聞こえてくるようです。鶯、蛙、寒蟬、鶺鴒、雉、雷など、自然を伝える音に耳を傾けたくなります。

しかし、これを読んでもどうもピンとこないという方も増えていると思います。昔ほど、四季を感じることがなくなりました。トマトやキュウリなどの夏野菜も、白菜やダイコンなどの冬野菜も、一年中通して売られています。コンクリートに囲まれた都会では、蛙の声も鶯の声も聞こえませんし、みみずや霜柱も見ることがありません。

地球温暖化で夏は酷暑、冬も温かく、植物や生き物たちにも影響が出てきています。七十二候を読んでいると、古き時代の折々の風景が伝わってきて、あらためて自然のよさと懐かしさを感じます。と同時に、環境問題に真剣に取り組んでいかないといけないと考えさせられます。

ところで四季を表す言葉に、色があるのをご存じですか。これも中国の陰陽五行説から伝わることで、青い春で「青春《せいしゅん》」、赤い夏で「朱夏《しゅか》」、白い秋で「白秋《はくしゅう》」、黒い冬で「玄冬《げんとう》」。そしてそれは、季節を表すだけでなく、季節と合わせて人生も表します。それぞれがどの年齢を表すかというと諸説あります。現代では０歳から25歳ころが青春、25歳から60歳ころが朱夏、60歳から75歳ころが白秋、75歳ころからが玄冬と考える人が多いようです。

私は白秋に入っています。秋は春夏のようなみずみずしさや勢いはないけれど、紅葉がきれいです。その後落葉して冬になります。人生の最期を迎える玄冬。室生犀星《むろうさいせい》の『冬の庭』という随筆の中に「冬は四季を通じての庭のはらわたを見せるときである」とあります。玄冬を迎えるとき、そのときはその人の人生が見えるときなのかもしれません。

四季と人生を重ね合わせ、この七十二候を声に出して読んでみると、しみじみと見えてくるものがありそうです。

（参考文献：『日本の七十二候を楽しむ―旧暦のある暮らし―増補新装版』文・白井明大　絵・有賀一広　角川書店）

方丈記《ほうじょうき》　鴨長明《かものちょうめい》

ゆく河《かわ》の流れは絶《た》えずして、しかも、もとの水にあらず。よどみに浮《うか》ぶうたかたは、かつ消え、かつ結びて、久しくとどまりたる例《ためし》なし。世の中にある、人と栖《すみか》と、またかくのごとし。

玉敷《たましき》の都《みやこ》のうちに、棟《むね》を並べ、甍《いらか》を争《あらそ》へる、高き、賤《いや》しき、人の住《すま》ひ《い》は、世々《よよ》を経《へ》て、尽《つ》きせぬものなれど、これをまことかと尋《たず》ぬれば、昔ありし家は稀《まれ》なり。或《あるい》は去年《こぞ》焼けて今年《ことし》造《つく》れり。或《あるい》は大家《おおいえ》亡《ほろ》びて、小《こ》家《いえ》となる。住む人もこれに同じ。所も変《かわ》らず、人も多かれど、いにしへ《え》見し人は、二三十人《にん》が中《うち》に、わづ《ず》かに一人二人《ひとりふたり》なり。朝《あした》に死《し》に、夕《ゆうべ》に生《うま》るるならひ《い》、ただ水の泡《あわ》にぞ似たりける。

知らず、生《うま》れ死ぬる人、何方《いずかた》より来《き》たりて、何方《いずかた》へか去る。また、知らず、仮《かり》の宿《やど》り、誰《た》が為《ため》にか心を悩まし、何によりてか目を喜ばしむる。その主《あるじ》と栖《すみか》と、無常を争ふ《う》さま、いはば《わ》朝顔《あさがお》の露《つゆ》に異《こと》ならず。或《あるい》は露落《つゆお》ちて、花残れり。残るといへ《え》ども、朝日《あさひ》に枯れぬ。或は花しぼみて、露なほ《お》消えず。消えずといへ《え》ども、夕《ゆうべ》を待つ事なし。

（中略）

また、養和《ようわ》のころとか、久しくなりて、たしかにも覚《おぼ》えず。二年《ふたとせ》があひ《い》だ、世の中飢渇《けかつ》して、あさましき事侍《ことはべ》りき。或《あるい》は春・夏ひでり、或は秋・冬、大風《おおかぜ》・洪水《こうずい》など、よからぬ事どもうち続きて、五穀《ごこく》ことごとくならず。むなしく春かへ《え》し、夏植《う》うるいとなみのみありて、秋刈《か》り、冬収《おさ》むるぞめきはなし。

これによりて、国国《くにぐに》の民《たみ》、或《あるい》は地《ち》を捨てて境《さかい》を出《い》で、或《あるい》は家を忘れて山に住む。さまざまの御祈《おんいの》りはじまりて、なべてならぬ法《ほう》ども行《おこな》はる《わ》れど、さらにそのしるしなし。京《きょう》のならひ、何《なに》わざにつけても、源《みなもと》は、田舎《いなか》をこそ頼めるに、たえて上《のぼ》るものなければ、さのみやは操《みさお》もつくりあへ《え》ん。念《ねん》じわびつつ、さまざまの財物《たからもの》、かたはしより捨つるがごとくすれども、さらに目見立《めみた》つる人なし。たまたま換《か》ふ《う》るものは、金《こがね》を軽《かろ》くし、粟《あわ》を重くす。乞食路《こつじきみち》のほとりに多く、愁《うれ》へ《え》悲しむ声耳《こえみみ》に満《み》てり。

（中略）

すべて、世の中のありにくく、わが身と栖《すみか》との、はかなく、あだなるさま、また、かくのごとし。いはん《わ》や、所《ところ》により、身のほどにしたがひ《い》つつ、心をなやます事《こと》は、あげてかぞふ《う》べからず。もし、おのれが身《み》、数《かず》ならずして、権門《けんもん》のかたはら《わ》にをる《お》ものは、深くよろこぶ事あれども、大《おお》きに楽しむにあたは《わ》ず。なげき切《せち》なる時も、声をあげて泣く事なし。進退安《しんだいやす》からず、立ち居《い》につけて、恐れを《お》ののくさま、たとへ《え》ば、雀《すずめ》の鷹《たか》の巣に近づけるがごとし。もし、貧しくして、富める家の隣りにをる《お》ものは、朝夕《あさゆう》、すぼき姿を恥《は》ぢ《じ》て、へつらひ《い》つつ出《い》で入《い》る。妻子・童僕《とうぼく》のうらやめる様《さま》を見るにも、福家《ふけ》の人のないがしろなる気色《けしき》を聞くにも、心念念《こころねんねん》に動きて、時《とき》として安《やす》からず。もし、狭《せば》き地にをれ《お》ば、近く炎上《えんしょう》ある時、その災《さい》をのがるる事なし。もし辺《へん》地《じ》にあれば、往反《おうばん》わづらひ《い》多く、盗賊《とうぞく》の難《なん》はなはだし。また、いきほひ《おい》あるものは貪欲《とんよく》ふかく、独身《とくしん》なるものは、人にかろめらる。財《たから》あれば、おそれ多く、貧しければ、うらみ切《せつ》なり。人を頼めば、身《み》、他《た》の有《ゆう》なり。人をはぐくめば、心、恩愛《おんない》につかはる《わ》。世にしたがへ《え》ば、身《み》、くるし。したがはね《わ》ば、狂《きょう》せるに似《に》たり。いづれの所《ところ》を占《し》めて、いかなる業《わざ》をしてか、しばしもこの身を宿し、たまゆらも心を休むべき。

（出典：『すらすら読める方丈記』中野孝次　講談社）

●天変地異を経験したことから

『方丈記』は、鎌倉時代に鴨長明が書いた随筆で、『枕草子』『徒然草』と並び日本三大随筆の一つです。鴨長明は、歌人で琵琶《びわ》の名手だったといわれています。後に50歳で出家し、方丈（一丈は約303センチ、一丈四方）の家に移り住んで、この随筆を書きました。

序段は、有名です。あらゆるものは、流転してやまない無常であると述べ、人と栖《すみか》も同じだと説いています。

続く第二段では、自身が体験した、安元《あんげん》の大火、治承《じしょう》四年の辻風、福原遷都《せんと》、養和元年の大飢饉、元暦《げんりやく》二年の大地震、と、生涯に経験した天変地異を、続く第三段では自分自身の生活のこと、第四段では現在の孤独な閑居の喜びを語り、最終の第五段では、三途《さんず》の闇に向かう心境で、念仏を唱えて終わります。

自然災害の中で生き抜くつらさ、人間社会の生きづらさを経験し、最後は閑居で孤独を楽しんでいる様子が伝わってくる作品です。では、一つずつ見ていきましょう。

川の流れが絶えず流れて、常に新しい水であるように、人もその住居も同じようなものだ。家は変化し、その中に住む人も変わる。朝死ぬ人があれば、夕方に生まれてくる人もいる。その生老病死のさまは、まさに水の泡に似ている。

絶えず生まれたり死んだりを繰り返している人間は、一体どこから来て、死んでどこへ行くのだろうか。そして、この世の仮の宿りに過ぎない住まいを、誰のために苦労して造ったり、どこをどう造ったといっては喜んでいたりするのか。その主《あるじ》と栖が無常を争う様子は、朝顔と露である。露が先に落ちて花が残る場合もあるが、残っても朝日が上れば枯れてしまう。花が先にしぼんで露が消えない場合もある。消えないといっても、夕方までも持つことはないということが書かれています。

この序段に、鴨長明が住まいを転々とし、最後方丈の狭い住まいに移り住んだ理由や、その方丈の家で書いた主題が語られています。「人は死んでこの先どこへ向かうのか」という、哲学的な考えがここにあります。

鴨長明は出家しているので、当然のごとく仏教に基づいた思想だと言えます。生老病死は苦であるが、いずれ泡となって消えてしまう。そう考えると、いかに現在つらい思いをしていても、すべて泡のようなものだと思えば気が楽になります。また、常に世の中が変化していると思えば、今あったことは過去になり、自分の中でくよくよ考えていたことも、それは自分の中で変わらない思い出であって、世の中から見ればもう大したことではないという考えもできるようになります。主と栖が無常を争う様子を深く考えれば、仏教の言うところの煩悩《ぼんのう》に通じる考えとも捉えられます。

そこから、災害の体験に入っていきます。養和の飢饉です。災害で作物がとれなくなり、食べるものがなくなったとき、農家の人々はその土地を離れていきます。財宝を売りに出しても買い手がなく、食料なら買い手がつく。貧しい人々が道にあふれかえる様子がまざまざと浮かびあがります。

現在の日本で、飢饉は近年体験したことがありません。ときどき災害などで野菜が入らなくなると、スーパーの棚がガラガラになり、焦《あせ》った人が他のスーパーに走り、さらに風評で買い占めに走るという、小さな経験はしていますが、それが大きくなったときのことを考えると、その危機に対応することはできるのでしょうか。

フードロスが多い日本ですが、食品のほとんどは、外国に頼っています。地震や水害は経験しているものの、飢饉に関しては考える機会があまりありません。お金があっても食べるものがない。そのあとには、栄養失調や各種の病気にも波及していきます。それだけでなく、食物の奪い合いなどが起こり、治安も悪化します。

自然災害はいつ起こるかわかりません。また、世界の戦争で日本がどのような影響を受けるか、考える機会もありませんでした。この飢饉の話をきっかけに、食料不足についても、真剣に考えていく必要性を感じました。

そして、近隣との関係の難しさも書かれています。

権力者の隣に住んだりしたら、自由な行動ができず、何につけてもびくびくして過ごすことになる。貧乏なのに裕福な人の家の隣に住めば、朝夕恥《は》ずかしい思いになる。妻子や召使がうらやむ様子や、裕福な隣家の人がこちらを馬鹿にしている様子も、心が安らかでない。狭い土地にいれば、延焼を免れない。辺鄙《へんぴ》なところであれば、盗賊の心配がある。権勢があるものは貪欲で、孤立している者は軽んじられる。財産があれば心配事が多く、貧しければ恨みが強い。人に頼めば、思い通りにいかない。人をいつくしめば、心は恩愛の妄執《もうしつ》にとらわれる。世に従えば、この身が苦しい。従わなかったら狂人と思われる。どんなところに住み、どんなことをしていたら、少しの間でも心を休めることができようか。

鴨長明は悲観的にとらえていますが、ちょっとこれを前向きにとらえてみましょう。ここに書かれているのは裕福な人や権力者の隣家のことですが、これらは本人の心持ち次第で何とかなりそうです。お金持ちが隣に住んでいても、私は私と思って、隣をうらやまなければいいのです。うらやむ妻子を見たなら、「わが家のほうがずっといい」というところを探せばいいのです。隣家が自分たちを馬鹿にしているというのも勝手な思いこみ。狭い家は確かに延焼は免れなくても、狭いから家の手入れは少なくて済むし、固定資産税も安い。辺鄙なところは確かに不安だけれど、人目を気にする必要はありません。住めば都という言葉があるように、その人の考え方次第です。

それより現在では、もっと深刻な隣家とのトラブルを抱えている人は少なくないのではないでしょうか。夜中に大きな音を出す騒音問題、ゴミの出し方がひどくて猫やカラスに荒らされてそのままにしておくゴミ問題、粗大ごみを道路に捨て置く粗大ごみ問題、隣家の植木が塀をこえて茂る植物問題、誰も住まない家が朽《く》ちて倒れたり木が生い茂っていたりして迷惑な空き家問題、Ｗｉ－Ｆｉなどの回線に障害が起きる電波問題などなど。ニュースやワイドショーでそのようなトラブルを見るたびに、わが家はそのようなトラブルがなくてよかったと思いつつ、隣家に迷惑をかけないように気をつけなければと心を引き締めます。

『方丈記』は、過去の災害の手記から災害リスクを、栖の手記からは哲学的に考えるヒントを与えてくれる一冊です。

（参考文献：『新訂　方丈記』市古貞次校注　岩波文庫）

予感《よかん》　山川方夫《やまかわまさお》

深い谿《たに》をへだてた小さな山の斜面に、ぽつぽつ新緑が目立ちはじめ、その山肌《やまはだ》に明暗の模様《もよう》をつくりながら、いくつかの雲の落《お》とす影が動いている。遠く近く、早春の褐色《かっしょく》の山の起伏《きふく》がつらなり、それと明るくくずみずしい真青《まっさお》な空との対照は、美しいといえば美しく、和《なご》やかといえば和やかな景色だったが、でも、彼はそれどころではなかった。

彼は、妻とならび、山腹《さんぷく》を削《けず》りとった道をのぼってゆく、大型バスの座席に揺《ゆ》られていた。妻はキャラメルを頬《ほお》ばり、幼いころのピクニックなんかの話をしている。その声が、なんだか水の中で聞いているような気がするのは、つまりそれほど標高《ひょうこう》のたかいところにきたせいなのだろうか。

「耳がいたいの？　弱《よわ》むし」

「いや。ただボワーンとしてるだけさ」

彼は苦笑して答えた。だが、気がかりはそんなことではなかった。

彼は、自分に一種の予感の能力があるのを信じていた。当面の問題の吉凶《きっきょう》が予知できるのである。それは、ふいに背すじにはしり下りる、しびれるような短い戦慄《せんりつ》で彼に報じられる。その戦慄の微妙《びみょう》な差で、彼は、それが吉兆《きっちょう》か凶兆《きょうちょう》かを区別するのである。

その警笛《けいてき》が、じつはさっきから背中で鳴りつづけているのだ。

学年試験のとき、入社試験のとき、そして妻とはじめて会社のそばの喫茶店で出逢《であ》ったとき――もっとも、このときは全身がガタガタとふるえつづけ、吉か凶かの差違《さい》がよくわからなかったが、――ともあれ、かならずこの戦慄が、結果を彼にあらかじめ教えたのだ。

でも、妻はそれを信じない。信じないどころか笑いとばし、しまいには怒りはじめるのだ。それはたいへん彼のプライドを傷つけることだったが、彼は我慢をして、近ごろでは、なるべくその予感を口に出さないようにしていた。予言者というものは、がんらい孤独なのだ。――でも……でも……。

幾重《いくえ》にも屈折《くっせつ》する道を、大型のバスはあえぐようなエンジンのうなりをあげ、かなりのスピードで坂道にかじりつくように登ってゆく。窓ガラスに青空が旋回《せんかい》して、タイヤからはじけとぶ小石が弧《こ》を描《えが》いて音もなく崖《がけ》の下に吸いこまれる。……もう、黙っていることはできない。彼は立ち上《あが》った。

「おい、下りよう、このバス」

「なんですって？」

妻はぽかんとした。

「危いんだ。ほら、あの例のやつでぼくにはちゃんとわかる。きっと、このバスは転落する。ぼくたちには、死の危険があるんだ」

「また、バカをいって、……」

妻は真赤《まっか》になり、彼の服をつかんだ。

「やめてよ、へんなこというもんじゃないの。バカねえ」

「バカじゃないよ」

「バカよ、あなたは。狂人《きょうじん》だわ」

「信じないのはわかってるよ、でも、一度ぐらい信じたっていいじゃないか」

また戦慄がはしり落ちて、恐怖が、彼の全身をつかんだ。

「ほんとというと、昨夜からなんだよ？ ＊（原文のまま） 君にいうとせっかくの旅行にケチをつけるとかなんとか、また怒ったりするから黙っていたんだ。でも、もう我慢できない。今日、このバスに乗るまでに三回、乗ってからはひっきりなしに背中が悪くゾクゾクしつづけているんだ。こんなひどいのははじめてだよ。とにかく、絶対にこのバスはよくないんだ。墜落《ついらく》する」

「あなた風邪じゃないの？　でなきゃ脊髄《せきずい》カリエスかなんかじゃない？　それは、きっとお医者さまに診《み》てもらえってだけのことだわ」

「ちがう、ちがうったら！」

彼の大声が耳に入ったのか、不機嫌な顔を露骨《ろこつ》にした運転手が振りかえった。

「私の運転が、信用できないっていうんですか？」

「いや、いや」

あわてて彼はいった。

「ぼくは事故をおそれているんだ。どんな事故かわからないし、みんなにたいして関係がないかもしれない。しかしぼくらには生命の問題だっていう気がする。ぼくの予感は正確なんだ」

「もう少しですよ、ぼくの予感は正確なんだ」


「もう少しですよ、小猿峠《こざるとうげ》までは」

「かまわん、かまわんから下ろしてくれ、ぼくたちは歩いてゆく」

中年の運転手は、あきらかに怒《おこ》っていた。

「よし、じゃ下りてもらいましょう、ほかのお客さん方《がた》にご迷惑だ」

バスは無事に停《とま》り、彼と妻を下《お》ろして出発した。乗客たちは、それぞれのおしゃべりをつづけながら、荷物を赤土《あかつち》の道に置き、真赤な顔でさかんに口論《こうろん》をつづけているこの若い夫婦を、バスの後方の窓から眺めた。

バスはすぐカーブを切り、二人の姿は赤茶色の崖《がけ》の斜面にかくれた。

その日。……夕刊は次のような記事をのせた。

『――今日《きょう》午後二時ごろ、××観光の大型バスが、小猿峠付近でハンドルを切りそこねて転落した。さいわい一段下《いちだんした》の道に落ちただけで止《と》まったので、乗客には死者はなかった。

だが、下の道を歩いていた一組《ひとくみ》の夫婦がバスの下敷《したじ》きとなって即死。この夫婦は、その寸前にこのバスから下りたところだった。』

（出典：『山川方夫全集　第四巻』冬樹社）

●予感は当たる？

この亡くなった彼は、不吉な予感がしたから、バスを降りました。しかし、バスを降りたことで、最悪な死を迎えることになってしまいました。

彼は、バスを降りなければ、死を免れていたかもしれないけれど、転落事故には遭っていた。転落事故に遭っていたら、たとえ命は奪われなかったとしても、「やはりバスを降りていればよかった」と思い、バスを降りなかったことを後悔したでしょう。

「予感」に似たものに、「虫の知らせ」という言葉がありますが、その中に「死の予感」というものがあります。「死の予感」というと、スピリチュアル系で胡散臭《うさんくさ》いとか非現実的だと考える方もいらっしゃるでしょう。でも実際それを感じる人もいます。ここからは、私が実際経験した話になります。

実は私の父も夫も、亡くなる前に死の予感があったようです。父はもともと糖尿病からくる心疾患を患《わずら》っていました。定期的な検査のため、入院が決まっていたときのこと、その前日に「もう、この家に戻ってこないような気がする」とつぶやいたのです。これは、「自分はまもなく死ぬ」ということの宣告のように聞こえ、突き刺さる衝撃を感じました。

でもまさかそんなことはないと思っていると、病院で父が肺炎になっていることがわかり、肺炎の治療をして間もなく退院できると思っていた矢先、突然脳出血で亡くなりました。耐えられないほどの体の苦痛があったので死を感じたのか、それとも普通に死を予感したのかはわかりません。でも、家を出る前の父の言葉通りの結果になってしまったのです。

夫の場合は、もっと前から死の予感がしていたのかもしれません。亡くなる半年前から、「死」という言葉を口に出すようになったのです。「僕が死んだら子どもをちゃんと育ててね」「僕がいなくなったら……」と死んだ後のことを託す言葉を言うようになり、はじめのうちは冗談だと思って聞き流していました。そのうち、それまでになかった行動をとるようになりました。仲の悪かった長女のことも気にかけるようになり、亡くなる1ヵ月前には、突然家族旅行をしようと言い出し、久しぶりに家族4人で集合写真を撮りました。そして、亡くなる直前には、「結婚できてよかった」「結婚していろいろあったけれど、一緒にいてくれてありがとう」という言葉をかけて、最後は無言で抱きしめてくれました。最後に抱擁してくれたときは、私も彼の温《ぬく》もりを感じながら理由もなくただただ嫌な、不安な予感がしたのを覚えています。その抱擁から十分後くらいに、彼は倒れて間もなくこの世を去りました。

亡くなる前に「死を予感する」ということは、実際あるような気がします。それは体調不良から感じることかもしれないし、第六感なのかもしれません。そして、そういうことに敏感な周りの人は、虫の知らせとして感じるのかもしれません。

心理学では予期不安というものがあります。現実的理由がないのに不幸が起こるのではないかなど、漠然といろいろなことに対する懸念から起こる感情のことを言います。不安が大きくなると、パニック障害などになることもあります。「予感」は、自分の無意識から生じているようですが、実は頭の片隅にある不安や漠然とした感情から起こっているものなのかもしれません。

ちなみに、私も時々予感らしきものを感じることがあります。いい予感もあれば、悪い予感もあります。そして、そのちょっとした心のざわつきに左右される自分に気づきます。理由もなしに「嫌な予感がする」と思ったときは、行動を控えるようにしています。それで何もなければ、「やっぱり気のせいだったか」ですませればいいのです。予感や直感、私は信じてみたいと思います。

第四　人《ひと》の上《うえ》を誡《いまし》むべき事

ある人いは《わ》く、人は慮《おもんぱか》りなく、いふ《う》まじきことを口《くち》疾《と》くいひ《い》出《いだ》し、人の短きをそしり、したることを難じ、隠すことを顕《あらわ》し、恥《は》ぢがましきことをただす。これらすべて、あるまじきわざなり。われはなにとなくいひ《い》散らして、思ひ《い》もいれざるほどに、いはる《わ》る人、思ひ《い》つめて、いきどほ《お》り深くなりぬれば、はからざるに、恥をもあたへ《え》られ、身《み》果《は》つるほどの大事《だいじ》にも及ぶなり。笑《え》みの中の剣《つるぎ》は、さらでだにもおそるべきものぞかし。心得《こころえ》ぬことを悪《あ》しざまに難《なん》じつれば、かへ《え》りて身の不覚あらはる《わ》るものなり。

おほ《お》かた、口軽《かろ》き者になりたれば、「それがしに、そのことな聞かせそ。かの者にな見せそ」などいひて《い》、人に心をおかれ、隔《へだ》てらるる、くちをしかるべし。また、人のつつむことの、おのづからもれ聞《きこ》えたるにつけても《お》、「かれ離れじ」など疑はれむ《わ》、面目《めんぼく》なかるべし。しかれば、かたがた人の上をつつむべし。多言留《たげんとど》むべきなり。

第六　忠直《ちゅうちょく》を存ずべき事

横川《よかわ》の恵心僧都《えしんそうず》の妹、安養《あんよう》の尼上《あまうえ》のもとに強盗《ごうどう》入《い》りて、あるほどの物の具、みな取りて出《い》でければ、尼上は紙衾《かみぶすま》といふ《う》ものばかり、ひき着てゐ《い》られたりけるに、姉尼《あねあま》のもとに小尼上《こあまうえ》とてありけるが、走り参《まい》りて見れば、小袖《こそで》をひとつ落としたりけるを、「これ落《おと》して侍《はべ》るなり。奉《たてまつ》れ」とて、もて来たりければ、「それを取りてのちは、わが物とこそ思ひつ《い》らめ。主《ぬし》の心ゆかぬものをば、いかが着るべき。いまだ、よも遠くは行かじ。とくとくもておはし《わ》て、取らせ給へ《え》」とありければ、門戸のかたへ走り出《い》でて、「やや」と呼び返して、「これを落されにけり。たしかに奉らむ」といひ《い》ければ、盗人《ぬすびと》ども立ち止まりて、しばし案じたる気《け》色《しき》にて、「悪しく参りにけり」とて、取りけるものどもを、さながら返《かえ》し置きて帰《かえ》りにけり。

（出典：『十訓抄』永積安明校訂、岩波文庫）

●笑みの中の剣

『十訓抄』は1252年（建長4年）に成立した説話集で、編者（作者）は不明です。『十訓抄』の読み方は「じっきんしょう」「じっくんしょう」の両様があります。『十訓抄』は、教訓を十段の篇に分ける構成になっています。

序

十訓抄　上

第一　人に恵《めぐみ》を施《ほどこ》すべき事（人に恩恵を施すべきこと）

第二　驕慢《きょうまん》を離るべき事（驕《おご》りを避けるべきこと）

第三　人倫《じんりん》を侮《あなづ》らざる事（人を侮《あなど》ってはいけないこと）
第四　人の上を誡《いまし》むべき事（人のことについて気をつけるべきこと）
十訓抄　中
第五　朋友《ほうゆう》を撰《えら》ぶべき事（友を選ぶべきこと）
第六　忠直《ちゅうちょく》を存ずべき事（忠実、実直を心得ること）
第七　思慮《しりょ》を専《もっぱ》らにすべき事（ひたすら思慮深くあるべきこと）
十訓抄　下
第八　諸事を堪忍すべき事（すべてを忍耐するべきこと）
第九　懇望《こんぼう》を停《とど》むべき事（願望を持つべきでないこと）
第十　才芸《さいげい》を庶幾《しょき》すべき事（才芸を願うべきこと）

跋

「序」には、「今まで見聞きした物語を種として、たくさんの言葉の中から、賢と愚の二つの例を取り上げ、良いことはこれを勧め、悪いことはこれを戒め、少年たちに正しい心を身につける手がかりにさせたいと考えた」とあります。イソップの寓話《ぐうわ》はつくり話ですが、こちらは実際におこった話をもとにしているということです。

ここに掲載した作品は、「口は禍《わざわい》のもと」という教えと、「安養の尼の小袖」で知られる話です。

まず「第四」から見ていきましょう。

ある人が言うには、人はよく考えもせず、言ってはならないことをしゃべったり、人の短所を悪く言い、やったことを非難し、隠していることを露見させ、恥ずかしいことを問い質《ただ》したりする。これらすべてあってはならないこと。自分ではなんとなく言ったつもりでも、言われたほうは思い詰めて、激しい怒りとなれば、思いがけず恥《はじ》をかかされ、わが身の終わりといった重大事にも及ぶ。

「笑みの中の剣」は、そうでなくてさえ恐ろしいものである。よくわかっていないことを悪く非難すれば、かえって自分の落ち度があらわれるものである。だいたいにおいて、口の軽い者になると、「誰それにはそのことを聞かせるな。あの人には見せるな」などと言って、人に警戒されるのは残念である。また、人のつつみ隠していることが、自然と漏れ聞こえてきた場合にも、「あの人がからんでいる」などと疑われるのもおもしろくない。だから、あれこれ、人も身上についてのことは気をつけるべきである。おしゃべりは禁物であるという話です。

他人の身の上について、あれこれ話したがる人は、今の世にも多く存在します。「笑みの中の剣」とは、言い得て妙《みょう》です。悪気《わるぎ》のない一言が、相手を追い詰めてしまうことがある。現在は、自分がつぶやいた一言がインターネットで世界中に広がる時代。気をつけたいものです。

そして「第六」は、安養の尼の話。

安養の尼上の所に強盗が入って、あるものすべて盗《と》られてしまいましたが、小袖《こそで》が一枚落ちていました。それを見た安養の尼上は、「盗人は、それを盗んだ後は自分のものと思っているに違いないから、盗人たちに戻しなさい」と言うのです。小尼上が盗人を追いかけて、小袖を渡そうとすると、盗人たちはしばらく考えて、「間違って参上してしまいました」と言って、盗ったものをすべて返していったという話です。

安養の尼上の言動は、強盗への神対応と言いたくなります。どんな人にも良心があります。安養の尼は、慈悲深い人でした。他人の物を盗むほど生活に困っているのなら、くれてやろうと思ったのか、それとも盗人の良心を信じてこのような行動をとったのか、真意はわかりません。

ビクトル・ユゴーの『レ・ミゼラブル』にも似たようなシーンがあります。銀の燭台《しょくだい》を盗んだジャン・バルジャンに罪を着せぬよう、牧師は警察に「あれは彼にあげたものです」と言います。慈悲の心を持って、良心を目覚めさせることができるという教えです。

このように『十訓抄』は、年を重ねて大人になってからも、心に響く教えが多く、学びの多い一冊です。

（参考文献：新編日本古典文学全集51『十訓抄』浅見和彦校注・訳　小学館）

芸術上《げいじゅつじょう》の心得《こころえ》　倉田百三《くらたひゃくぞう》

一、堅く堅く志《こころざし》を立てること。

およそ一芸に秀《ひい》で一能に達するには、何事によらず容易なことではできない。それこそ薪《たきぎ》に臥《ふ》し胆《きも》を嘗《な》めるほどの苦心がいるものと覚悟せねばならない。昔から名人の域に達した人が、どれほど苦しんだかということは歴史に伝わっている。芸術は百芸の長である。故にその芸術を一生の仕事としようとする者は、初めに堅く志を立てて如何《いか》なる困難に出会っても撓《たわ》まず、その奥義《おうぎ》を極《きわ》めるまでは死すとも止めないほどの覚悟をしなくてはならない。

一、身体を大切にせねばならない。

仕事には非常の根気とエネルギーが要《い》る。身体が丈夫ならば丈夫なだけいい。(病身でもそれに打ち克《か》って私の如《ごと》くやることができるが、丈夫だったらどんなにいいだろうかと思う)芸術上の仕事には種々な経験が豊かなほどいいのだが、身体が弱ければ生活が狭くなる。少なくともかなりな程度の健康を保つことを常に心掛けなくてはならない。それには、一、十一時以後は必ず夜更《よふ》かしせぬこと。二、寝床のなかで物を考えぬこと。この二つだけ守ればどんなに勉強してもそれほど弱くはならない。これだけは守らねばならぬ。

一、でき得る限り刻苦《こっく》勉強すること。

これはどんな天才にも必要なことである。努力せぬ者は終《つい》にはきっと負ける。初め鈍いように見える者が刻苦して大成した人は多いが、初め才能があってそれを恃《たの》んで刻苦しないために駄目《だめ》になった者も多い。素《そ》質《しつ》のいい才はじけぬ人が絶え間なく刻苦するのが一番いいらしい。アララギ派の元素*伊藤左千夫《いとうさちお》氏は正岡子規《まさおかしき》の弟子のうち一番鈍才《どんさい》であったが、刻苦のために一番偉くなった。

一、よく考えて生きること。

良い芸術は良い生活からしか生まれない。こんなことはいうまでもないことと思う。浅い生活をしていて良い芸術を生むことは不可能である。但《ただ》しここに良い生活というのは迷いや慎《つつし》みや、あるいは罪がない生活という意味ではない。そういうものを持ちながらも正しい生活に達しようとして努力する生活をいうのである。

一、よく自然と人生を観察すること。

芸術は結局人生の相に対する愛から生まれる。よく気をつけて人生を観《み》ることが一番である。そうすればちょっとした出来事にも深い運命や悲哀やまた美の調和や不調和やつまり人生に対する愛と悲しみの意識がだんだんこまやかになるものである。この心持《こころもち》はすなわち良い作の生まれる原動力になる。

一、よく読書すること。

われわれの尊い先人の作をできるだけ熱心に読まねばならぬ。これを怠《おこた》っては芸術の成長の一つの大きな滋養《じよう》を失うことになる。いい人のものはたくさん読むだけ良い。しかし読書は考えたり観察したりすることほど大切ではない。良く考え良く観察し、良く読むことが揃《そろ》わねばならぬ。

一、できるだけ多く書くこと。

これは芸術に志す者の第一の本業である故に、絶え間なく書かねばならぬ。芸術は一つの技術である。技術は何によらず練習するより他《ほか》に上達する道はない。一つ書くごとに成長してゆくものである。ロダンなど

*（原文のまま）

は絶え間なく練習していたということである。
以上を常に忘れず心に止め、固く守って気長く根気強く努力したならば、素質のいい者はきっとすぐれた芸術家になれる。（もし運命がそれを許すならば）

（出典：『青春をいかに生きるか』角川文庫）

●実は人生の心得

人間の生き方そのものが芸術という見方もあると考えると、ここに書かれている芸術上の心得は、人生の心得としても解釈できます。そう考えて、この文章を読んでみると深くうなずけます。

なにか目標を持って成し遂げようとするならば、その目標がなんであれ、堅く志を持っていなければなりません。途中で簡単にあきらめるようでは、目標は達成できません。

どんな職種でも、身体を壊してしまっては仕事をするのは難しくなります。もし持病があっても、それなりの健康を保つことができれば仕事はできます。身体は病気がなくても精神的に健康でなかったら、仕事がつらくなるでしょう。夜更《よふ》かしをせず、「夜物事を考えない」というのは、身体と精神と二つの健康を保つのに大切なことを挙げているのです。

どんな天才でも刻苦勉励は必要。一般的に、一芸に秀でている人は、生まれながらにその才能を持っている人と思いがちです。でも才能だけでは、有名になれません。生まれながらの才能を持っている方がいます。アメリカではギフテッドと呼ばれている方たち（日本の文部科学省では「特定分野に特異な才能のある児童生徒」）です。生まれながらの才能を持っていても、周りの人が理解し、その能力を伸ばせる環境であることが大切であり、その才能を活《い》かそうとする本人の努力が最も重要です。一方、特別な才能を持っていない私のような凡人でも、勉強を地道に続けていけば、それなりに道は開けていくことでしょう。

正しい生活に達しようとして努力する生活が必要なことは言うまでもありません。「よく気をつけて人生を観ることが一番である」と書かれていますが、これは実際に接している生身の人間の人生の観察はもちろん、書物や芸術などを通して観察することも含まれていることと思います。読書について「良く考え良く観察し、良く読むことが揃わねばならぬ」と書いてあるように、書物を通して人生を疑似《ぎじ》体験し、そこで自分の身近にいない人の人生をよく観察し、自分なりに考えることが大切なのです。

最後によく書くことも説いています。ここでは書くという言葉を使っていますが、つまりは自分に必要な技術は絶えず使って、磨《みが》いていかないといけないということです。

以上のことは、ごくごくあたり前のことで、何をいまさらと思いがちなことです。でも実行している方はどのくらいいるでしょうか。何よりも大切なことは、これらのことを根気よく続けること。これが一番難しいところ。言うは易《やす》く行うは難《かた》し。根気よく続けることができれば、素晴らしい人生となることでしょう。

青年《せいねん》の元気《げんき》で奮闘《ふんとう》する我輩《わがはい》の一日《いちにち》　大隈重信《おおくましげのぶ》

希望ある者は決して老いるものでない

我輩《わがはい》の百二十五歳の長寿説を不思議がる人もあるが、決して不思議なことはない。人間は世のためとかまたは人のためとかに何かして働こうという代《かわ》り、もしも人生に希望さえあれば老朽者《ろうきゅうしゃ》となる恐れはない。その代りもしも人生に希望がなくなると生きているほど辛《つら》いものはない。このことは世界の自殺者の中でも最も多数のものは老人、即《すなわ》ち人生になんらの望みのない憐《あわ》れなる人達であることを見ても判《わか》る事実である。

世にも憐れなものは徒《いたずら》に長生きするだけで少しも希望もなければ、奮闘する勇気もない老人である。なんだかだと豪《えら》がっても、愚痴《ぐち》や不平を言う様《よう》になってはもはや駄目《だめ》なものである。

愈々《いよいよ》敗るれば益々《ますます》奮闘努力を続行する

我輩は何時《いつ》でも、人にできないようなことを自分で一つ遣《や》ってみたいという希望を持っている。そのために今日までにも大分《だいぶ》失敗したこともあるけれども、失敗したからとて断じて事を廃《はい》する様な意気地《いくじ》のない振《ふる》舞《まい》をしたことはない。何時でもいよいよ失敗すればいよいよ奮闘努力を続行する。而《しか》してこういう場合に更《さら》に新しい元気を得るには、どうかして我輩の一生を最も有益に送りたいという希望のあるためである。苟《いやしく》も社会に立って何事かを成《な》そうというほどの人である以上、一度や二度の失敗で悲観する様なことのあろうはずがない。もしそういう人があるならば共に人生を語るに足《た》るべき人とは言えない。かくの如《ごと》き精神を持っているので、如何なる場合でも我輩の生活は常に希望が輝いている。従《したが》って我輩は何時も愉快に楽天的でいることができる。同じく人生に処する上は、なるべく有為《ゆうい》の生活を成すべく長く送ることが必要である。それにはどうしても道の理想に適《かな》うところの生活が必要である。我輩の長寿説になにほどの科学的の根拠があるとすれば、それは倫理的道徳的生活と結び付いている点であろう。

（出典：『大隈重信演説談話集』岩波文庫）

●時には疑いの目を持つことも

大隈重信の文章には、かなりきつい表現があります。繰り返し音読するには、あまり向かないと思いカットしました。カットした文章は以下の通りです。

「希望ある者は決して老いるものでない」では、

「そういう老人はむしろ早く死んだ方がお互いに仕合せかも知れない。昔は信州の姥捨山《うばすてやま》に老人を捨てに行ったそうであるが、今日でも徒に厚顔年を偸《ぬす》む老人輩をばなんとか始末する必要もあろう。」

また「愈々敗るれば益々奮闘努力を続行する」では、

「然《しか》るに今日の富豪などの中には、生きながらに地獄の苦悶をしているのが決して少なくは

ない。彼等の生活にはなんら道徳上の安心がなく、良心の満足し得るほどのものを持っていないからである。従って彼等が長生《ちょうせい》するには、苦悶の時を長からしむるまでのことで、祝すべきことではない、むしろ憐れむべきものである。」

一般的に、希望や夢を持っている人は、ポジティブ思考で、心が元気だということは共感します。しかし、「愚痴や不平を言う様になっては人生ももはや駄目」だから「早く死んだ方がお互い幸せ」と言い切ってしまうところは、大隈重信流の叱咤《しった》激励《げきれい》なのかもしれませんが、現代社会に当てはめるとやや言いすぎなのではないでしょうか。

超高齢社会の現在、年をとって誰もがみな、いつまでも希望を持って生きるというのは、難しいことです。事実、私の父は、「生きていても仕方がない。早く死にたい」と言ったことがあります。そのときの父は、病気をいくつも抱え、食べたいものは食べられない、身体が痛くて不調で、妻は認知症で会話が思うようにできないという状態でしたから、私は、父がそう思ってしまうのも仕方がないと思ってしまったのです。そんな父に、「希望を持って」などと、口先だけで言えるわけがありません。

年をとったら、誰だって身体の老化を感じ、愚痴だって不平だって言いたくなります。確かにそれでは、どんどん落ちこんでしまうでしょう。どうしたらそういう人に「生きる」ということを前向きに考えてもらえるのでしょうか。

「生老病死」という言葉があります。「生きる」「老いる」「病」という苦しみの中で皆生きているのです。大きな希望でなくてもいい。日常の些細《ささい》なことにも、幸せを見つけ、希望を持てるような生き方ができればいいのではないでしょうか。

そして、希望を持って、失敗を恐れず、楽天的に生きる。有為の生活をする。ここまでは共感しますが、富豪について、ちょっと決めつけすぎのような気がします。汗水流して、努力して、その結果富豪になった方が多いと思います。そのお金の使い道も、富豪それぞれです。

文豪や歴史的に有名な方が書いたものでも、それを自分なりに解釈し、時には疑いの目を持って読み、または書かれていることに反論しながら読む。これも、読書の仕方の一つであり、心の整理につながります。

侏儒《しゅじゅ》の言葉《ことば》　芥川龍之介《あくたがわりゅうのすけ》

人生《じんせい》

――石黒定一君《いしぐろていいちくん》に――

もし游泳《ゆうえい》を学ばないものに泳げと命ずるものがあれば、何人《なんびと》も無理だと思うであろう。もし又《また》ランニングを学ばないものに駈《か》けろと命ずるものがあれば、やはり理不尽《りふじん》だと思わざるを得《え》まい。しかし我我《われわれ》は生まれた時から、こう云《い》う莫迦《ばか》げた命令を負《お》わされているのも同じことである。

我我は母の胎内《たいない》にいた時、人生に処《しょ》する道を学んだであろうか？　しかも胎内を離れるが早いか、兎《と》に角《かく》大きい競技場に似た人生の中に踏《ふ》み入《い》るのである。勿論《もちろん》游泳を学ばないものは満足に泳げる理窟《りくつ》はない。同様にランニングを学ばないものは大抵人後《たいていじんご》に落ちそうである。すると我我も創痍《そうい》を負《お》わずに人生の競技場を出られる筈《はず》はない。

成程《なるほど》世人《せじん》は云《い》うかも知れない。「前人《ぜんじん》の跡《あと》を見るが好《よ》い。あそこに君たちの手本がある」と。しかし百の游泳者《ゆうえいしゃ》や千のランナアを眺めたにしろ、忽《たちま》ち游泳を覚えたり、ランニングに通じたりするものではない。のみならずその游泳者は悉《ことごと》く水を飲んでおり、その又ランナアは一人残らず競技場の土にまみれている。見給《みたま》え、世界の名選手さへ《え》大抵は得意の微笑のかげに渋面《じゅうめん》を隠しているではないか？

人生は狂人《きょうじん》の主催に成《な》ったオリムピック大会に似たものである。我我は人生と闘いながら、人生と闘うことを学ばねばならぬ。こう云うゲエムの莫迦莫迦《ばかばか》しさに憤慨《ふんがい》を禁じ得ないものはさっさと埒外《らちがい》に歩み去るが好《よ》い。自殺も亦《また》確かに一便法《いちべんぽう》である。しかし人生の競技場に踏み止《とど》まりたいと思うものは創痍《そうい》を恐《おそ》れずに闘わなければならぬ。

又

人生は一箱《ひとはこ》のマッチに似ている。重大に扱うのは莫迦莫迦《ばかばか》しい。重大に扱わなければ危険である。

又

人生は落丁《らくちょう》の多い書物に似ている。一部を成《な》すとは称《しょう》し難《がた》い。しかし兎《と》に角《かく》一部を成している。

親子

子供に対する母親の愛は最も利己心《りこしん》のない愛である。が、利己心のない愛は必ずしも子供の養育に最も適したものではない。この愛の子供に与える影響は――少くとも影響の大半は暴君《ぼうくん》にするか、弱者にするかである。

又

人生の悲劇の第一幕は親子となったことにはじまっている。

可能

我々はしたいことの出来るものではない。只《ただ》出来ることをするものである。これは我我個人ばかりではない。我我の社会も同じことである。恐らくは神も希望通りにこの世界を造ることは出来なかったであろう。

（出典：『昭和文学全集　第1巻』小学館）

●人生を端的な言葉で表した文章

『侏儒の言葉』は、芥川の晩年、三十代のときに書かれたものです。タイトルにある侏儒とは「背丈が並外れて低い人、見識のない人をあざけっていう語」（『大辞泉』）です。『侏儒の言葉』の中には、物事の真実を簡潔に鋭く表現した語句がちりばめられています。ここに取り上げた中にも、有名な言葉が入っています。

「人生は狂人の主催に成ったオリムピック大会に似たものである。」

「人生は一箱のマッチに似ている。重大に扱うのは莫迦莫迦しい。重大に扱わなければ危険である。」

「人生の悲劇の第一幕は親子となったことにはじまっている。」

「我々はしたいことの出来るものではない。只出来ることをするものである。」

このような人生訓を読んでいると、ふと思い出すのが、『徒然草』です。芥川は『徒然草』に影響を受けたのかと思いきや、このように書いています。

「つれづれ草

わたしは度たびこう言われている。――「つれづれ草などは定めしお好きでしょう？」しかし不幸にも「つれづれ草」などは未嘗《いまだかつて》愛読したことはない。正直な所を白状すれば「つれづれ草」の名高いのもわたしには殆《ほとん》ど不可解である。中学程度の教科書に便利であることは認めるにもしろ。」

私だけでなく、『侏儒の言葉』を読んで『徒然草』を連想した人が多かったとしたら、それは吉田兼好がつれづれなるままにとりとめもないことを書いたように、芥川もとりとめもなく、考えていることを書き綴《つづ》っているからであり、読む人が自分の人生を振り返ったときに、それらがみな、深く突き刺さる言葉で書かれているからではないでしょうか。

さて、皆さんは、人生をどのような言葉で表しますか。私流「種々（しゅじゅ）の言葉」で締めたいと思います。

人生は自分が主役の舞台である。舞台はひとりでは成り立たない。多くのスタッフ、共演者そして舞台を観てくれる人があってこそ、自分が舞台に立てるのである。自分を舞台に立たせてくれている周りの人たちに常に感謝の気持ちを忘れてはならない。また、自分のセリフの一言で、ストーリーを変えることができる。おもしろくするのも、つまらなくするのも、すべて自分次第。たくさんの拍手の中で人生の幕を閉じるか、観客のいない舞台で終わるか。それは、どれだけ人々に幸せな時間をあたえられたかで決まるのである。

徒然草《つれづれぐさ》　吉田兼好《よしだけんこう》

第七十五段

つれづれわぶる人は、いかなる心ならん。まぎるる方《かた》なく、ただひとりあるのみこそよけれ。

世に従へ《え》ば、心、外《ほか》の塵《ちり》に奪《うば》は《わ》れて惑《まど》ひ《い》易《やす》く、人に交《まじ》は《わ》れば、言葉、よその聞《き》きに随《したが》ひ《い》て、さながら、心にあらず。人に戯《たわむ》れ、物《もの》に争《あらそ》ひ《い》、一《ひと》度《たび》は恨《うら》み、一度《ひとたび》は喜ぶ。その事、定《さだ》まれる事なし。分別《ふんべつ》みだりに起《おこ》りて、得失《とくしつ》止む時なし。惑《まど》ひ《い》の上に酔《よ》へ《え》り。酔《よい》の中《うち》に夢をなす。走りて急《いそ》がは《わ》しく、ほれて忘れたる事、人皆《ひとみな》かくの如《ごと》し。

未《いま》だ、まことの道を知らずとも、縁《えん》を離れて身を閑《しず》かにし、事《こと》にあづからずして心を安《やす》くせんこそ、しばらく楽《たの》しぶとも言ひ《い》つべけれ。「生《しょう》活《かつ》・人事《にんじ》・伎能《ぎのう》・学問等《とう》の諸縁《しょえん》を止《や》めよ」とこそ、摩訶止観《まかしかん》にも侍《はんべ》れ。

第八十二段

「羅《うすもの》の表紙《ひょうし》は、疾《と》く損《そん》ずるがわびしき」と人の言《い》ひしに、頓阿《とんな》が、「羅《うすもの》は上下《かみしも》はつれ、螺鈿《らでん》の軸《じく》は貝《かい》落ちて後《のち》こそ、いみじけれ」と申し侍《はんべ》りしこそ、心まさりして覚えしか。一部とある草子《そうし》などの、同じやうにもあらぬを見にくしといへ《え》ど、弘融僧都《こうゆうそうづ》が、「物を必ず一具に調《ととの》へ《え》んとするは、つたなき者のする事なり。不具《ふぐ》なるこそよけれ」と言《い》ひしも、いみじく覚《おぼ》えしなり。

「すべて、何も皆、事のととのほ《お》りたるは、あしき事なり。し残したるをさて打ち置きたるは、面白《おもしろ》く、生き延《の》ぶるわざなり。内裏造《だいりつく》らるるにも、必ず、作り果《は》てぬ所を残す事なり」と、或人《あるひと》申し侍《はんべ》りしなり。先賢《せんけん》の作れる内外《ないげ》の文《ふみ》にも、章段《しょうだん》の欠《か》けたる事のみこそ侍《はんべ》れ。

第百九段

高名《こうみょう》の木登《きのぼ》りといひし男《おのこ》、人を掟《おき》てて、高き木に登《のぼ》せて、梢《こずえ》を切らせしに、いと危《あやう》く見えしほどは言ふ《う》事もなくて、降《お》るる時に、軒長《のきたけ》ばかりに成りて、「あやまちすな。心して降《お》りよ」と言葉をかけ侍《はんべ》りしを、「かばかりになりては、飛び降《お》るとも降りなん。如何《いか》にかく言ふ《う》ぞ」と申し侍《はんべ》りしかば、「その事に候《そうろう》ふ。目《め》くるめき、枝危《えだあやう》きほどは、己《おの》れが恐《おそ》れ侍《はんべ》れば、申さず。あやまちは、安き所に成《な》りて、必ず仕《つかまつ》る事に候《そうろう》ふ《う》」と言ふ《う》。

あやしき下﨟《げろう》なれども、聖人《せいじん》の戒《いまし》めにかなへ《え》り。鞠《まり》も、難《かた》き所を蹴出《けいだ》して後《のち》、安く思へ《え》ば必ず落つと侍《はんべ》るやらん。

（出典：『新訂　徒然草』西尾実・安良岡康作校注　ワイド版岩波文庫）

●教えが見つかる人生の指南書

最近は、自己啓発本として若い人にも読まれるようになった『徒然草』。吉田兼好が鎌倉時代に書いたとされる説が有力となっています。二百四十三段からなる随筆ですが、その序段は有名です。

「つれづれなるままに、日くらし、硯《すずり》にむかひて、心に移りゆくよしなし事を、そこはかとなく書きつくれば、あやしうこそものぐるほしけれ。」

「なすこともなく一日中硯にむかって、心に浮かぶとりとめもないことをなんとなく書き付けていると、もの狂おしい気持ちがする」ということですが、『枕草子』と同じように、日々の暮らしの中で考えていることを、読みやすい筆致で描いています。どれも、時代を超えて、なるほどと思わせることが書いてあります。

まず、タイトルにもなった「つれづれ」の心境を書いている第七十五段。「つれづれの状態（やることがない状態）をやり切れないという人の気持ちがしれない。他のことに気が散ることがなく、ただひとりでいるのが一番よい」と言っています。

世間に合わせて順応すると、欲にふりまわされて惑いやすく、人と話をすると、自分の言葉は相手の思惑に左右されて、自分の本心とは違った話をしてしまう。自分を見失って、酔っ払いと同じだ。この世の真理を悟ることができなくても、煩《わずら》わしい関係を整理して静かに暮らし、世間づきあいをやめて、ゆったりした気持ちで本来の自分を取り戻す。これこそが、真理に近づく喜びを味わうと言ってよいということを言っています。

義理のつきあいは、確かに心が疲れるものです。世間との交わりがなければ、比べるものがなく、自分の価値観で生きることもできるでしょう。煩わしい人間関係の中にいるくらいなら、ひとりでいるほうがいい。そのつれづれなる時間を、有効活用して堪能《たんのう》している様子が伝わってきます。

次の第八十二段は、「薄絹の本の表紙は、早く傷むのが困る」という人に対し、頓阿が「上下の縁が擦り切れてほつれたほうが、また、巻物の螺鈿の軸は、貝が落ちてからのほうが味わいがある」と答えたことに感心させられたとあります。何冊かひとまとめにして一部としている草子が、不ぞろいなのはみにくいというけれど、「ものを必ずきっちりそろえようとするのは拙《つたな》い人のすることで、不ぞろいこそがよい」と弘融僧都が言ったのにも素晴らしいと思った。何事も完全に整い、完結しているのはよくない。やり残した部分をそのままにしているのが味わいが深く、生き延びる技《わざ》なのだ。内裏をつくるときも未完の部分を残すものだそうだが、賢人の書物にも章段の欠けたものが多いとあります。

完全なものより、どこか不ぞろいだったりするほうが魅力があるというのは共感します。

完璧なものはおもしろみがない。完結してるものは、その先を想像するおもしろさがない。未完の美や、欠けの美学、わびさびの世界。日本の昔からある美学なのでしょう。

第百九段は、木登りの名人と言われた男が、人に指図して高い木に登らせたとき、非常に危険だと思われた間は何も言わず、軒の高さになったときに、「注意しておりろよ」と声をかけました。するとその人は「これくらいの高さなら飛び降りたって降りられるのに、何でそんなこと言うんだい」と言う。そこでこの名人は「高くて目がくらみ、枝が折れそうに危ないときは、本人が慎重だから注意する必要がない。でも、失敗というものは何でもないところでやってしまうものなんですよ」と答えました。蹴鞠《けまり》も、難しい鞠をうまく当てた後で、気を抜くと必ず蹴り外し落とすものだと。

皆さんも、経験ありませんか。ちょっとした油断や気のゆるみが事故や怪我のもとになります。包丁で怪我するのは、切っているときよりも、包丁を洗っているときだったりします。まさに油断大敵という教えです。そして、人生でうまくいっているときほど、足元を見てしっかり行動しなさいという教訓とも捉えられます。『徒然草』は、深く読めば読むほど、その裏にある教えが見つかる人生の指南書と言えそうです。

（参考文献：『徒然草　ビギナーズ・クラシックス　日本の古典』角川書店編　角川ソフィア文庫）

おわりに

最後までお読みくださり、ありがとうございました。

心に残った言葉、興味深いと思った作品、声に出して楽しいと思った作品はございましたでしょうか。そのような作品がございましたら、たいへん嬉しく存じます。

音読本は、本書が3冊目になりますが、作品選びは毎回発掘調査のようです。まず、多くの作品に出会うことから始まります。作家さんから選ぶこともあれば、随筆集という全集から選ぶこともあります。

今回は、はじめて古典文学の世界へ踏みこんでみました。そこは、言葉もわからず、歴史的背景もわからず、かなり難しい世界でした。そのため、多くの方の現代語訳を拝読し参考にさせていただきながら、原文を読み進めてまいりました。向き合って読んでみると、なんとおもしろいのでしょう。

私にとって未知の世界だからこそ新鮮に感じられ、興味がわきました。平安時代のことなのに現代でも共感できることがあり、時代は変わっても人の心は変わらないのだと確信したり、言葉の変化をおもしろいと思ったり、さまざまな発見がありました。

そこで皆さまにも古典文学を声に出して味わっていただきたいと思いました。私が主に参考にさせていただいた書籍は各エッセイ末に記載しておりますので、皆さまもご興味を持たれましたら是非お読みください。

そして、どのように音読をしたらいいかわからないという方のために、YouTube「寺田理恵子の音読チャンネル」では、前著『四季を感じる毎朝音読』の音読に続き、本書も随時読んでいきたいと思います。詳しくは、私のブログをご覧ください。

最後になりましたが、この本を出版するにあたり、編集を担当してくださった猪俣久子さんはじめ、さくら舎の皆さま、出版までに携わってくださった多くの皆さまに、この場を借りてお礼申し上げます。ありがとうございました。

寺田《てらだ》理《り》恵《え》子《こ》

寺田理恵子オフィシャルブログ

著者略歴

元フジテレビアナウンサー。「心とからだ磨きの朗読教室」主宰。一九六一年、東京都に生まれる。聖心女子大学文学部を卒業。その後、社会人として武蔵野大学人間関係学部を卒業。認定心理士。フジテレビ時代は「オレたちひょうきん族」などバラエティ番組に出演し、人気を博す。一九八九年、結婚を機に退社、フリーになる。一九九八年に離婚、二〇〇〇年に再婚し専業主婦として生活。五〇代に入ると父の死、母の認知症、さらに二〇一二年に夫の急逝が重なり、心身がボロボロに。そのときから「音読トレーニング」をはじめ、見事に復活。現在、朗読教室・アナウンススクールの講師を務めるかたわら、認知症サポーターとして朗読ボランティアや認知症の理解を深める講演活動をおこなっている。

著書には、『「毎日音読」で人生を変える』『60代、ひとりで前向きに生きる』『四季を感じる毎朝音読』（以上、さくら舎）がある。

日々《ひび》の名作《めいさく》音読《おんどく》で人生《じんせい》の深《ふか》みを知《し》る

二〇二四年一月一三日　第一刷発行

著者　寺田《てらだ》理恵子《りえこ》

発行者　古屋信吾

発行所　株式会社さくら舎　http://www.sakurasha.com

東京都千代田区富士見一-二-一一　〒一〇二-〇〇七一

電話　営業　〇三-五二一一-六五三三　FAX　〇三-五二一一-六四八一

編集　〇三-五二一一-六四八〇　振替　〇〇一九〇-八-四〇二〇六〇

装丁　村橋雅之

装画　Bridgeman Images／アフロ（ウィリアム・モリス）

印刷・製本　中央精版印刷株式会社

ISBN978-4-86581-411-8